ケアストレス
カウンセラー
公式テキスト

内閣府認可 一般財団法人 職業技能振興会 監修
一般社団法人 クオリティ・オブ・ライフ支援振興会 著

日本能率協会マネジメントセンター

はじめに

　このたび、株式会社日本能率協会マネジメントセンターから『改訂版ケアストレスカウンセラーテキスト』を出版することになりました。

　前回『ケアストレスカウンセラー公式テキスト』を改訂してから、8年あまりの月日が流れました。その間は、新型コロナウイルス感染症の蔓延による「新しい生活様式」が求められ、またリモートワーク・スポットワークの普及や、生活を圧迫する物価高への対応などますます目まぐるしい変化に目の回るような毎日だったといえるでしょう。

　社会のストレスが増大する現在こそ「ケアストレスカウンセラー」で学ぶ知識が求められます。こころのカウンセラーというと、こころの病（メンタル疾患）というマイナス面が強調され、できればお世話になりたくない、と拒否反応を示してしまう方もいるかもしれません。そんな人こそ、本書を手にとってほしいと思います。

　「ケアストレスカウンセラー」で学ぶ知識は自分と身近な人が安心して社会を生きていけるよう、"気づき"と"思いやり"で世の中を明るく、笑顔にするための学びです。

　2006年に創設された「ケアストレスカウンセラー」認定制度は順調に受験者を増やし、認知度もかなり高まってきたのではないかと自負しております。

　本書は、「ケアストレスカウンセラー」を養成するための基礎テキストです。前回の改訂時の内容を一新し、最新の情報を加え、より実践的な内容のテキストとなりました。

　本書で学習する皆さまのご活躍を心からお祈り申し上げます。

2025年

　　　　　　　　　　　　　　内閣府認可 一般財団法人 職業技能振興会

　　　　　　　　　　　　　　　　　　　　理事長　兵頭大輔

改訂版ケアストレスカウンセラー公式テキスト　目次

はじめに……3

Prologue　この本を手にしたあなたへ……8

Part 1　こころって、何だろう？
―心理学の基本を知ろう―

Step 1-1　心理学とはどんなもの？……12
Step 1-2　見えないこころを見るために……14
Step 1-3　こころのしくみを知る……16
Step 1-4　人間のこころと行動……18
　Column 01　占いと心理カウンセリングの違い①……21
Step 1-5　人が「人らしくある」ということ……22
　Step 1　理解度チェック……28
Step 2-1　自分らしさとは何か……32
Step 2-2　パーソナリティ（性格）とは何か……36
Step 2-3　パーソナリティをつくるもの……40
Step 2-4　パーソナリティは変化する……42
　Column 02　占いと心理カウンセリングの違い②……45
　Step 2　理解度チェック……46
Step 3-1　環境の変化に適応する……50
Step 3-2　欲求不満に耐える力……52
Step 3-3　こころを守る機能……54
Step 3-4　生きづらさの原因（認知の歪み）……58
　Column 03　こころの成長と高齢者の心理……63
　Step 3　理解度チェック……64
Step 4-1　カウンセリングとはどんなもの？……70
Step 4-2　心理療法（精神分析療法）の基本……74

Step 4-3	クライエント中心療法の基本	……76
Step 4-4	認知療法・行動療法の基本	……78
Step 4-5	森田療法・その他の療法の基本	……82
Step 4-6	心理療法の留意点	……86
Step 4	理解度チェック	……88

Part 2 こころの健康って、何だろう？
―精神医学の基本を知ろう―

Step 1-1	精神医学とはどんなもの？	……94
Step 1-2	「知」の機能の精神症状	……98
Step 1-3	「情」の機能の精神症状	……104
Step 1-4	「意」の機能の精神症状	……106
Column 04	高齢者の心理と高齢者との接し方①	……109
Step 1-5	脳波からわかる脳の状態	……110
Step 1-6	性格とこころの病（メンタル疾患）は関連するか？	……114
Step 1	理解度チェック	……116
Column 05	高齢者の心理と高齢者との接し方②	……123
Step 2-1	精神科医が行う面接（問診）	……124
Step 2-2	心理検査とはどんなもの？	……128
Column 06	恋愛成就の秘訣	……133
Step 2-3	こころの病（メンタル疾患）の治療法	……134
Step 2-4	薬物療法（身体的療法）の基本と電気けいれん療法	……140
Step 2-5	リハビリテーションの基本	……146
Step 2	理解度チェック	……148
Step 3-1	メンタル疾患の概要をとらえる	……152
Step 3-2	メンタル疾患の診断マニュアル	……154
Step 3-3	メンタル疾患の人にどう接するか	……158
Step 3-4	メンタル疾患への対応方法	……160

Step 3-5　メンタル疾患に対する薬物療法……166
Step 3-6　睡眠薬の使用の基本……172
　Step 3　理解度チェック……178

Part 3　こころの病って、どんなものだろう？
―主なメンタル疾患の基本と対応を知ろう―

Step 1-1　基本的なメンタル疾患……184
Step 1-2　うつ病の基本……186
　Column 07　幸せのビジョンを整理する……191
Step 1-3　統合失調症の基本……192
　Step 1　理解度チェック……198
Step 2-1　パニック障害の事例と対応……202
Step 2-2　適応障害の事例と対応……206
Step 2-3　双極性障害（躁うつ病）・うつ病の事例と対応……210
Step 2-4　統合失調症の事例と対応……218
　Column 08　カウンセリングに必要な誠実さ……223
　Step 2　理解度チェック……224
　Column 09　クライエントの嘘……229
Step 3-1　メンタル疾患の診療科の選び方……230
Step 3-2　メンタル疾患の主治医の選び方……234
Step 3-3　各種制度と相談先……238
　Step 3　理解度チェック……240

Part 4　人と人とのかかわりって、何だろう？
―対人コミュニケーションの基本を知ろう―

Step 1-1　人とのかかわりとは何か……244
Step 1-2　対人認知の４つの面……246

Step 1-3 　対人認知の実際……248
Step 1-4 　良好なコミュニケーションとは？……252
　　Column 10 　カウンセラーのこころと積極的傾聴……255
Step 1-5 　対人コミュニケーションの種類……256
　Step 1 　理解度チェック……264
Step 2-1 　積極的傾聴とは何か……268
Step 2-2 　積極的傾聴のポイント……274
Step 2-3 　積極的傾聴の実践……280
　Step 2 　理解度チェック……284

Part 5　ストレスって、何だろう？
―ストレス対処法の基本を知ろう―

Step 1-1 　ストレスとは何か……290
Step 1-2 　ストレスが心身に及ぼす影響……294
Step 1-3 　ストレスと病気……298
　Step 1 　理解度チェック……302
Step 2-1 　ストレス対処法……306
Step 2-2 　ストレス・コーピング……310
Step 2-3 　ストレスへの気づき……314
Step 2-4 　セルフケアの大切さ……318
　Step 2 　理解度チェック……322

巻末　「ケアストレスカウンセラー認定試験」　受験ガイド……326

この本を手にしたあなたへ

　もしかしたら、あなたは何か問題を抱えているのかもしれません。
　もしかしたら、あなたの大切な人が何か問題を抱えているのかもしれません。
　単に、カウンセリングっておもしろそうという興味があるだけかもしれません。
　たとえそれがどんな動機でも、どんなに複雑な状況や問題があるとしても、あなたが「こころって、何だろう」と思ったことがなければ、この本を手にしなかったでしょう。
　「こころって、何だろう」という疑問をもたずに生きていくのと、疑問をもって生きていくのとでは、人生が大きく違ってきます。なぜなら、こころは目に見えないものだからです。目に見えないものなど信じられないという人が世の中には大勢います。目に見えない存在が信じられない人に何を教えても、「見えないものは見えない！」で終わってしまうことでしょう。あなたはすでにこころとは何かが見えているといっていいでしょう。
　ケアストレスカウンセラーは、一般財団法人職業技能振興会が認定する資格です。名前に「ケア」とついているのは、さまざまなケアの現場で活躍できる人材であってほしいという、実施団体の思いの現れです。カウンセラーとしては初級といえますが、ケアストレスカウンセラーが担っているのは、一番身近な人をケアすることです。
　人をケアするためには、まず、自分のこころがわからなければなりません。自分自身をケアすること、セルフケアでこころとからだが健康でリラックス状態にあって、初めて他人と向き合うことができるのです。次に、相手のこころがわからなければなりません。相手のこころがわかってくると、その人はあなたに対してさらにこころを開き、あなたと

話すことで癒されると感じるようになります。すると相手に、明日もがんばろうと思うパワーを与えることができます。

「この人と話をすると元気になる」……あなたを頼って相談してきた人にそのような癒しを与えることができる人こそ、私たちがめざすケアストレスカウンセラーです。

ケアストレスカウンセラーという資格は、国の機関も含む専門機関や、著名な医学博士、精神科医、心理学者、臨床心理士などが集まって、長年の歳月をかけてつくったものです。そして、資格の誕生に伴って、教材が作成されました。教材の制作過程でも、何度も専門機関の指導を受け、医学博士はじめ現役の臨床心理士など多くの関係者により、加筆訂正がされました。

カウンセラーとは、相談者(クライエントといいます)の問題解決への手助けをする人です。その内容は、健康な人の悩み相談から、ストレスで不調を訴える人への気づきのケア、こころに問題が生じている人のメンタル疾患(うつ病などのこころの病をいいます)の予防、すでにメンタル疾患になって医者に通っている人のカウンセリング、さらに、ケアにかかわっている人のこころのサポートに到るまで、さまざまなものがあります。

それでは、数あるカウンセラー資格のなかでも、ケアストレスカウンセラーとはどんなカウンセラーなのでしょうか。ひと言で言うと、「こころを大切にするカウンセラー」です。ただし、クライエントのこころだけではなく、自分のこころも大切にしなくてはなりません。そして、クライエントのあるがままのこころを映す鏡を持っていることが必要です。自分のこころも相手のこころもあるがまま受け入れることができる、いわば、バリアフリーなこころをもっているカウンセラーなのです。「何だ、そんなことか!」と思うかもしれません。そうです。ただそれだけのことなのです。

心理学と聞くと、聞きなれないことばが羅列する難解な学問のように

思えるかもしれません。実は心理学とは、「こころって、何だろう」を考える単純な学問なのです。こころはなぜ、さまざまに形や色を変えるのか、さらに、どういうときに変化するのかを知ることから心理学の学習が始まります。

　先に述べたように、こころは目には見えず、つかみどころがありません。心理学は、誕生してから100年あまりの若い学問です。実は、どんなに偉大な心理学者でも、こころとは何か、すべてを解明できていないのです。

　本書を読み進めていくと、多くの専門用語に出合います。理解が難しいときもあるでしょう。しかし、まったく心配する必要はありません。なぜならあなたは、こころとは何かを考えているからです。本書全体を通していえることですが、学習を進めるときには、まず、あなた自身のことを考えてください。答えは常に自分のなかにあります。そして、自分のこころを本当の意味で知ることが、ケアストレスカウンセラーへの一番の近道になることでしょう。

　さあ、これから、自分のこころと向かい合って学習を始めていきましょう！

Part 1

こころって、何だろう？

―心理学の基本を知ろう―

Step 1-1

心理学とはどんなもの？

心理学は何のためにあるのでしょうか。あなたには、どのようなイメージがありますか。まず、皆がもつ誤解を解きながら、心理学とは何かを紹介します。

 1．心理学への誤解

　心理学と聞くと、多くの人は、「人のこころを読む読心術のようなもの」「行動パターンを探り、こころを見透かすこわい学問」などと思うようです。確かに、心理学は人の行動を理解したり、予測したりすることに役立つようにと日々研究されてきました。社会心理学、教育心理学、臨床心理学、発達心理学など「●●心理学」と名付けられた心理学の分野は非常に多いといえます。しかし、心理学とは、人が何を考えているのかを当てるためのものであったり、人の行動を操作できるようになる学問では決してありません。それは誤解であり、その誤解がまず取り払われないかぎり、心理学を用いるカウンセラーへの偏見も拭い去ることができないのです。

　人のこころは、いろいろな原因が絡んで複雑に動くものであり、その機能についてはわかっていることよりもわからないことのほうが圧倒的に多いのです。本書を通じて、とらえどころのないこころをどのように理解していくかを、学んでいきましょう。

 2．見えないこころを「見る」のが心理学

　「人間は、こころとからだからできている」と聞いて、そのことばを疑

う人はいないでしょう。しかし、改めて「人間は、本当に、こころとからだからできていますか」と問われると、自信をもって「そうです」と答えることができません。なぜなら、からだは目に見え、触ることもできますが、こころはどこにあるのかさえわからないのですから。
「こころは、どこにあるのですか」と問われると、ある人は「こころは頭部にある」と言い、ある人は心臓を押さえて「ここ（胸）にある」と言います。いったいこころはどこにあるのでしょうか。そして、こころはどのようなもので、どのようなしくみになっているのでしょうか。こうした疑問を明らかにしようとしている学問が心理学です。

　人のこころへの興味・関心は大昔からあり、医学や哲学そして宗教が明確にすべき対象としてきました。やがて、19世紀末ごろからこころを科学的に捉えようとする試みが始まりました。人の心理的な行動を理解するためにデータから法則を見つけ、理論づけてきました。

　心理学を知らなくても『夢判断』★1という本を書いたフロイト★2の名を聞いたことのある人は多いと思います。フロイトは心理学を語るうえで、なくてはならない存在であり、フロイトの理論は、のちの精神医学や臨床心理学の基礎をつくりました。そのため、心理学というと、フロイトがつくり上げたイメージがあり、現在でも大きく影響している部分があります。しかし、それだけでは説明がつかないのが人のこころです。こころとは何かという疑問を追いかけ続けているのが心理学です。

Point!

- 心理学は、人のこころを操作するものではない。
- 心理学は、19世紀末にフロイトによって始まった新しい学問である。
- 心理学は、いまだに成長している学問である。

用語解説

★1　『夢判断』：フロイトによる夢に関する精神分析の研究書
★2　フロイト：ジークムント・フロイト。オーストリアの精神分析学者、精神科医。人の行動には無意識的な要素が作用していると提唱し、精神分析を展開した

Part 1　こころって、何だろう？　ー心理学の基本を知ろうー

Step 1-2
見えないこころを見るために

目に見えず、触れることもできなくても、こころは存在します。そうしたつかみどころのないこころについて学習するためには、どのような方法があるのでしょうか。

 1. 人間のようなロボットとは

「2本足で歩き、出会えば『コンニチハ』とあいさつをし、握手を求めれば返してくれる。レストランでは食事を運んできてくれ、お礼を言えば『ドウイタシマシテ』と返事もしてくれる。」

　そうした精巧につくられたロボットを見ると、人々は、「まるで人間のようだ！」と言い、人工知能（AI）やロボットの技術の進歩を賞賛するでしょう。

　「ターミネーター」★1という映画には、主人公の少年を守るために未来から送られてきたアンドロイドが登場します。見た目は人間そのものでも、その機能は高性能の機械であり、人間の能力をはるかに超えています。そしてその行動★2は、プログラミングされた指示に忠実です。しかし、映画の最後には、このアンドロイドが自己犠牲によって少年を守ろうとします。この場面には、こころの存在を感じるのではないでしょうか。

　日本のアニメでも、「鉄腕アトム」や「ドラえもん」は、私たちと同じように泣いたり笑ったり怒ったりします。こうしたロボットには、こころがあると思った人が多いはずです。

2．人間とロボットとの違い

　人工知能（AI）の研究・開発は進んでいますが、人間のように泣いたり笑ったり怒ったりするロボットは、まだ、開発されていません。仮にできたとしても、人間のこころのほんの一部を備えたのであって、人間のこころをもったわけではありません。人間のこころは非常に高機能であり、しくみやはたらきを完全には解明できていないからです。

　たとえば、物を右から左に移動させる行動について考えましょう。ロボットは、そのように指令されたから、またはそのようにプログラミングされているから、物を右から左に動かすだけです。

　人間の場合、物を右から左に移動させる行動にも、さまざまな理由があります。

「何となく、そのほうが気持ちがいいから」

「自分は右利きで、不注意な性格だから、物が右にあると手をぶつけてしまいそうになる」

「それは本来、左にあるべきだから」などのように、1つの行動の中にも、人それぞれの感覚やその場の状況、個人の美意識に至るまで、実にさまざまなこころのはたらきがあって行動していることがわかります。

　このように、行動の背景には常にこころの存在があり、その行動を起こさせる引き金になっているものがあります。

- 人間のこころは非常に高機能であり、現代の科学でも「人間のこころ」をつくることはできない。
- 人が行動をするとき、その背景にはこころのはたらきがある。

用語解説
★1　「ターミネーター」：1984年にアメリカで撮られたSF映画
★2　行動：心理学では、人間の行動を引き起こすものは、こころや意識であると考える。反射や動物学的な行動と区別するために、精神的行動と呼ばれることもある

Step 1-3

こころのしくみを知る

人のこころのはたらきには、どのようなものがあるのでしょうか。人の行動のしくみを学ぶことで、こころのはたらきを見ていきましょう。

 1．行動を引き起こすもの

　Step 1-2では、精神的な行動の背景にあり、行動の引き金になっているものがこころであると述べました。次に、人の行動はどのようにして引き起こされるものなのかを考えてみます。行動のしくみを探れば、こころのしくみも見えてくるはずです。

　たとえば、生まれたばかりの赤ちゃんは、手のひらを指で触れるとギュッと握り返してきます。また、口の中に指を入れるとチューチュー吸い出します。これは、赤ちゃんが身を守り生存するために起こす反応であり、原始反射といわれます。太古より人間に備わっているものであり、精神が関与する行動（**精神的行動**）とは違うものです。

　精神的行動とは、身体の内外の状況を感じて、それに応じてする行動です。この場合、身体の内外の状況を感じさせるものは、「見る」「聞く」「かぐ」「味わう」「触れる」という、**五感**と呼ばれるものです。私たちは、五感を通じて身の周りからたくさんの刺激を受け取り、理解し、環境に適応しています。

　以下、精神的行動が引き起こされる流れを見てみましょう。

2. 精神的な行動のしくみ

　五感で受けた刺激を感じることを**感覚**[★1]といいます。感覚をもとにした意識的体験を**知覚**[★2]といい、知覚をもとにして行われる心的処理を**認知**[★3]といいます。

● 図1　精神的行動のしくみ

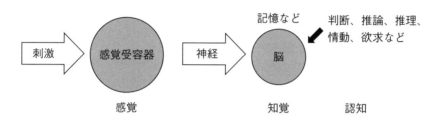

　たとえば、あなたの目の前にバイオリンを弾く演奏者がいるとします。あなたは耳で音を感じます。これが聴覚という感覚です。バイオリンの1つひとつの音がいくつもつながって、何らかの音楽的内容（メロディ）であると判断するのが知覚です。そして、そのメロディが耳になじんだ自分の好きな音楽であると、思わずハミングしたり、踊り出してしまいそうになります。このハミングや踊り出させる意味づけ・価値づけとなるこころのはたらきを、認知といいます。

　感覚→知覚→認知の流れは、通常、一瞬で行われます。認知は、その人の欲求や期待、経験や価値観などによって変わってきます。

　こころのはたらきの基本は、見る、聞く、かぐ、味わう、触れるである。

用語解説
★1　感覚：感覚受容器（目・耳など）での情報処理の最初の段階である情報処理の過程
★2　知覚：外界と自己の状態を知るための仮説と推論に基づく、能動的な判断過程
★3　認知：判断、推理、情動、欲求などのすべてが関わる情報処理の活動

Step 1-4

人間のこころと行動

人工知能（AI）を搭載したロボットは、取り込む刺激に対して、常にプログラムどおりの反応をします。人間は、何か目に映っても、ぼんやりしていて気がつかないということがあります。

1．人間の認知は一瞬だが複雑

　先ほどの例のように、バイオリンのメロディが聞こえたとき、人間では、瞬時にいろいろな感情や状況判断が複雑にはたらき、意味づけ・価値づけがなされます。同じメロディでも、「好きなメロディ」「嫌いなメロディ」あるいは「自分は好きではないけれど友人が好きそうなメロディ」など、認知はさまざまです。そして、認知によってその後の行動が、次の例のように変わってきます。

「嫌いなメロディ」😣
　→ボリュームを下げてもらう。
「友人が好きそうなメロディ」😊
　→友人に教えてあげるために、曲名を尋ねる。

　ロボットも、「バイオリンの音を聞く→音を音楽だと判断する→メロディに乗って踊る」ということはできますが、あくまでもそのようにプログラムされているからです。はたして、人間のこころの働きを完全にトレースできる人工知能（AI）は、実現できるのでしょうか。

2.「錯覚」はこころのはたらき

錯覚とは、五感に異常がないにもかかわらず、実際とは異なる知覚をしてしまうことです。

（1）視覚

まず、図2を見てください。何に見えるでしょうか。

●図2　ルビン★1の杯

図2は、黒い部分を見ていると杯に見えてきて、白い部分を見ていると人の横顔に見えてくるでしょう。次に、図3を見てください。

●図3　幾何学的錯視の例

①ミュラーリヤー錯視
（2本の水平線は同じ長さ）

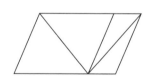
②ザンダー錯視
（2本の対角線は同じ長さ）

③ツェルナー錯視
（垂直線はすべて平行）

④ポッゲンドルフ錯視
（斜めの線は一直線）

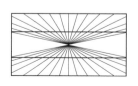
⑤ヘリング錯視
（2本の水平線は平行な直線）

⑥エビングハウス錯視
（中央にある2つの円は同じ大きさ）

図3①では、矢印の横棒が長く見えるのはどちらですか。図3③の縦線は、曲がっているように見えませんか。図3⑥では、中心の丸の大きさが違って見えませんか。実際には、横棒の長さは同じ（図3①）であり、縦線は平行であり（図3③）、中心の丸の大きさは同じ（図3⑥）なのです。

　ロボットにとっては、図2は「白黒の模様」または、「杯」か「顔」のどちらかです。ロボットは、「黒と白のどちらに意味をもたせるかによって変わる図」という知覚はしません。図3の矢印や平行線などに関しても、数値を図れば事実がわかります。ロボットが計測を誤ることは決してありません。

（2）聴覚

　耳には、たくさんの音刺激が入ってきます。しかし、私たちは、それらの音すべてを聞いているわけではありません。音楽が流れ、ほかの人たちの話し声が聞こえる喫茶店であっても、一緒にいる相手の声をきちんと聞き分けることができるはずです。このとき、話に熱中していれば、ほかの音はあまり気にならないでしょう。しかし、あなたのお気に入りの音楽が流れたときには、そちらに注意が向くはずです。これを、カクテルパーティ効果★2（選択的注意）と呼びます。

　その場で臨機応変に必要な情報が何であるかを判断するのは、人間のこころの優れた機能です。

　こころの機能とは、まず、五感で感じ（感覚）、五感から伝わるさまざまな刺激信号を、経験や知識と照会し（知覚）、意味づけ・価値づけをします（認知）。それによって、人間はものを考えたり、楽しんだり、喜んだり、悲しんだりという行動を起こします。この感覚→知覚→認知→行動の一連のはたらきが、こころの基本的な機能といえます。

- 何かを感じて動くことが、こころのはたらきである。
- 錯覚は、こころがあるために起きる。

Column 01　占いと心理カウンセリングの違い①

　占いは、私たちの日常生活でよく見かけるものです。人生相談のような要素があり、悩みを抱えた多くの人（特に女性）が占いに頼っている現状があります。心理カウンセリングも、占いの一種のようなものであると思っている人もいるようです。

　私も、心理カウンセラーとして占いには興味があり、人気のある占い師は、いったいどのような特徴があるのかが知りたいと思い、実際に占ってもらったことが何度かあります。確かに、人気のある占い師には、その人自身にカリスマ性があったり、こちらの言うことを聴き入る態度や受け答えに人を引きつける力があったりして、人気があるのも納得できました。心理カウンセラーとしても、よい資質があるように見受けられました。私も、実際に占ってもらってからは、占いの価値を低くみなしたり、否定することはなくなりました。しかし、占いと心理カウンセリングには決定的な違いがあります。占いは、「星」「運気」「カード」など独自の方法で相談者の過去・現在・未来を具体的に提示します。一方、心理カウンセリングは、クライエントの現在を心理学・精神医学的に理解し、本人が問題解決をする手助けを行うものです。このため、心理カウンセリングでは、決してクライエントの未来に対しての予言はしません。

用語解説

★1　ルビン：エドガー・ルビン。デンマークの心理学者
★2　カクテルパーティ効果：雑音に埋もれているはずの音が聞こえること。騒がしいパーティ会場でも、自分の名前が呼ばれると聞き分けるなど

Step 1-5
人が「人らしくある」ということ

こころのはたらきを深く探っていくと、人を人とするこころの存在も見えてくるでしょう。ここでは、動物とは違う人間のこころのしくみを学習しましょう。

 ## 1.「学習」はこころのはたらき

　ちょっとした失敗をしてしまったとき、「君は学習しないね」などと、少し嫌味のこもった叱られ方をした経験はありませんか。

　この場合の学習とは、数学や化学などの勉強をすることではありません。以前に同じ失敗をしていて、その経験を生かせず、また繰り返したという意味で使われています。

　学習も、こころのはたらきの1つです。たとえば、友人の家に、普段、いくつもの駅を経由し乗り換えて行っていたとします。あるとき、乗り換えずに行ってみると、それほど時間もかからず料金も安かったため、それをきっかけに電車の経路を替えるということがあります。このように、経験を通じて行動に継続的な変化が生じることを学習といいます。

　また、「梅干し」と聞いただけで、口の中に唾(つば)がたまるのは、梅干しの酸っぱさを知って学習した成果です（レスポンデント条件づけ★1）。食べたことのない子どもは、梅干しと聞いただけでは何の反応も示しません。愛犬に「お手」を覚えさせるのには、餌(えさ)などのごほうびをうまく使って仕込みます。犬はごほうびが欲しくて「お手」をするようになります（オペラント条件づけ★2）。サーカスの動物たちが芸を覚えるのも、同じ方法による学習です。

それでは、人間も動物も、学習の方法は同じなのでしょうか。先に述べた例では、程度の違いはあれ、基本はほぼ同じといえます。しかし、人間の優れた学習能力は、他人の経験を自分の経験として取り込むことができることにあります。つまり、動物とは違い、観察や模倣の能力（観察学習★3）が際立っていることにあります。人間は、観察や模倣ばかりではなく、知識を教育や学習で社会的に積み重ね、共有していくことができるのです。

2．記憶と忘却

（1）記憶のしくみ

　記憶も、日常生活で大切な役割を果たすこころのはたらきです。自分の脳をパソコンだと思ってください。覚えたいことはパソコンに書き込み保存します。そして、必要なときに呼び出します。このように、記憶のプロセスは、**記銘（書き込む）→保持（保存する）→再生（思い出す）→再認（確認する）**の4段階になっています。

　もの覚えが悪いというのは、パソコンの書き込みに時間がかかること、もの忘れが激しいというのは、保存期間が短いということです。のどまで出かかっているというのは、保存したものをうまく取り出せない状態ということです。

　記憶は、保存期間によって、大きく3つに分類されます（**図4**）。

●図4　記憶の種類

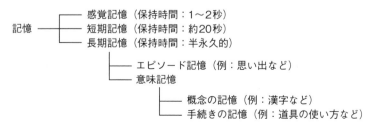

興味のない人の顔は、見た瞬間は覚えていますが、すぐに忘れてしまいます。逆に、とてもすてきだと感じた人の顔は、脳裏に焼き付いて忘れないものです。これを、**感覚記憶**といいます。
　必要があって調べた電話番号も、一度で用事が済んでしまうものは、電話をかけ終わればすっかり忘れてしまうでしょう。これを**短期記憶**といいます。しかし、何度も同じところに電話して学習した電話番号は、記憶が固定されます（**長期記憶**）。短期記憶も、繰り返すことで長期記憶になります。
　このように、記憶の長さは、意味づけというこころのはたらきによって変わるものなのです。

（2）忘却のしくみ

　人間は忘却の生き物といわれます。記憶しておく必要のないことや、つらいこと、苦しいことなどは、いつか忘れてしまいます。この忘却がなければ、頭のなかは情報であふれてしまい、逆に、学習や行動の妨げになってしまいます。忘却も、こころの大切なはたらきの1つなのです。

3．人間の行動にはかならず「動機」がある

　人間の学習と記憶のメカニズムは、まだ解明されていないことがたくさんあります。しかし、これらのこころのはたらきは、人間の行動と深く関わっており、その研究は、心理や教育だけでなく、さまざまな分野で応用されています。
　行動の理由（要因）を動機といいます。そして、目標に向かって行動の準備をしている状態を、**動機づけ**といいます。それでは、動機づけについて考えてみましょう。
　人間は、なぜ、仕事をするのでしょうか。この「なぜ」が動機づけで

す。「自分の能力を試したい」「自分を認めてもらいたい」「満足感や充実感を得たい」という理由（内発的動機づけ★4）かもしれません。あるいは、「お金を得るため」「働かなければ生活ができないから」という理由（外発的動機づけ★5）かもしれません。また、両方という場合もあるでしょう。

　人間特有の動機として、**達成動機**★6があります。やる気ともいえ、あるべき自分になりたいという欲求です。心理学者のマズロー★7は、達成動機を自己実現欲求として、人間が最終的にかなえたい究極の欲求としています（図5）。この達成動機（やる気）の強さで、成功や失敗の原因を何のせいにするか（原因帰属★8）に違いが出てきます。

●図5　マズローの欲求段階説

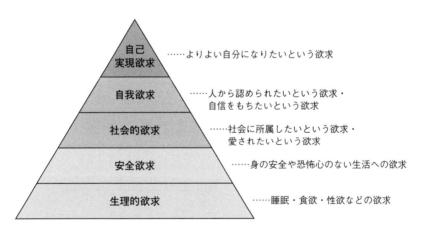

　達成動機が強い人ほど、成功も失敗も自分の能力と努力の結果だと思う傾向があります。逆に、達成動機が弱い人は、成功しても「たまたま運がよかった」と思ったり、失敗しても「能力がないから」などと思う傾向が強いのです。

　なお、自分に好意をもっている人に近づき、協力したり、愛着を示したりすることを目標とする**親和動機**も、人間特有のものです。

4．こころのはたらきは脳のはたらき

　こころのはたらきといったとき、これまで説明してきたような、感覚や知覚のことを思い浮かべましたか。感覚や知覚は、脳のはたらきだと思っていた人がほとんどではないでしょうか。つまり、心理学でいうこころの機能とは、脳の機能だといえます。

　しかし、ほとんどの人は、こころとは脳の機能だとは思っていません。よく、「こころで理解する」ということばを聞きます。これは、こころと脳を区別している考え方が原点になっているといえるでしょう。つまり、「理解するのは脳」→「本当に感じているのはこころ」→「こころはハートのことで、心臓のあたりにある」と考えているのではないでしょうか。

　もちろん、この考え方は普段、生活をするうえでは正しいといえます。しかし、この考え方が心理学をより難解にしているため、心理学を学習するときは、いったん除いてください。

 ## 5．豊かな「感情」は人が人である証拠

　次に、感情について学びましょう。こころのはたらきと聞いて、多くの人が最初に思い浮かべるのが、この感情ではないでしょうか。

　感情は、成長にともない、経験や学習によって発達するものです。生まれたばかりの赤ちゃんにとって、世界は、「気持ちいい」か「気持ち悪い」かのどちらかです。しかし、成長するにつれて、単純であった感情は、愛情、喜び、得意、怒り、恐れ、嫌悪、嫉妬などに分かれていきます。5歳前後で人間の基本的な感情が表れ、その後も、その人のこころの成熟や社会生活での経験などによって、さらに細分化されていきます。

　喜怒哀楽は、感情を表すことばです。しかし、たった4文字では言い

表せない複雑な感情をもっているのが人間です。感情の表れ方は、人によってさまざまです。ポーカーフェイスの人もいれば、顔に気持ちが書いてあるようなわかりやすい人もいます。また、程度に差はありますが、感情は、笑いや涙などの身体の反応を引き起こします。さらにそれが高まると、緊張や動悸、発汗やのどの渇きなど生理的な反応を引き起こします（**情動**★9）。「好きな人と一緒にいると、胸がドキドキする」「怒りで、手が震える」などは、誰もが経験したことがあるでしょう。

ロボットには、行動を起こすために、なぜそれをするかという動機づけは必要ありません。プログラムされているからで十分なのです。当然、喜怒哀楽の感情もありません。人がロボットと決定的に違うのは、この感情です。感情というこころの機能こそが、人とロボットの違いであり、あなたをあなたらしく、あなたの生き方を豊かにするものといえるでしょう。

- 人間の学習能力のなかでも、観察や模倣の能力が特に優れている。
- 記憶は、保存期間によって、感覚記憶、短期記憶、長期記憶の3つに分類される。

用語解説

- ★1 レスポンデント条件づけ：条件反射。刺激（梅干しの酸っぱさ）と受動的反応（唾液が出る）が、学習によって結び付けられること
- ★2 オペラント条件づけ：刺激（ごほうび）と能動的反応（お手をする）が、学習によって結び付けられること
- ★3 観察学習：モデリング。モデルを観察する（兄のボールの投げ方を弟が見ている）ことによって学習が成立する（教えられていないのに、弟が兄のようにボールを投げられるようになる）こと
- ★4 内発的動機づけ：知的好奇心によってもたらされる動機づけ。行動そのものが喜びや満足感を満たす
- ★5 外発的動機づけ：義務、賞罰、強制などによってもたらされる動機づけ
- ★6 達成動機：達成目標や基準を設けて、到達しようとする動機
- ★7 マズロー：アメリカの心理学者。欲求段階説を唱えた
- ★8 原因帰属：できごとが起こったとき、どのような原因で起きたのかを考えること
- ★9 情動：一時的で急激な感情。喜び、怒り、驚き、恐れなど

Step1
理解度チェック

問 1 次の文章にあるこころのはたらきは、何と呼ばれるものでしょうか。下記の語群から、最も適切な語句を選び解答欄に記入してください。

（1）暗い部屋から外に出たとき、まぶしくて目をつぶった。
　　　　　　　　　　　　　　　　　　　　　　　　[　　　　　]

（2）人ごみの中で待ち合わせ相手を探し、見つけ出した。
　　　　　　　　　　　　　　　　　　　　　　　[　　　　　]

（3）空腹のときはおいしそうに見えたものが、満腹のときに見るとおいしそうに見えなかった。　　　　　　[　　　　　]

（4）いつもＡ店で買っている物が、Ｂ店のほうが安かったので、次からはＢ店で買うことにした。　　　　[　　　　　]

（5）ウェイトレスが客に注文の品を出した後は、その客が何を注文したかは忘れてしまう。　　　　　　　[　　　　　]

（6）母にほめてほしいため、試験勉強をがんばる。
　　　　　　　　　　　　　　　　　　　　　　　[　　　　　]

（7）悲しいドラマを見ていて、涙が出てきた。
　　　　　　　　　　　　　　　　　　　　　　　[　　　　　]

【語群】
感覚　感情　選択的注意　認識　認知　学習　観察　目標
長期記憶　短期記憶　外発的動機づけ　内発的動機づけ

問2 次の文章で正しいものには○を、間違っているものには×を解答欄に記入してください。

[ ]（1）認知行動において、最初の段階のはたらきは知覚である。
[ ]（2）受け取った情報の「意味」は常に一定である。
[ ]（3）認知には、記憶、判断、推理などの内部要因が関わっている。
[ ]（4）条件反射とは、オペラント条件づけによるものである。
[ ]（5）モデルの行動を観察することで、学習が成立することをレスポンデント条件づけという。
[ ]（6）記憶とは、過去の経験を保存し必要に応じて思い出すことをいい、記憶のプロセスには、記銘→保持→忘却の3段階がある。
[ ]（7）「走っていると嫌なことを忘れられるから、ジョギングをする」というのは、外発的動機づけである。
[ ]（8）感情が高まると、緊張や動悸、発汗、のどの渇きなど生理的な反応が引き起こされることがある。

問3 次の記憶に関する表の①～③に当てはまるものとして、最も適切な語句を解答欄に記入してください。

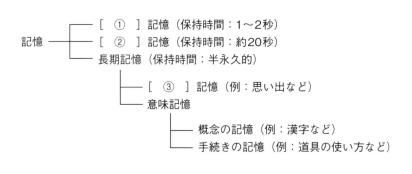

① [　　　　　　　]　② [　　　　　　　]　③ [　　　　　　　]

Step1
理解度チェック 解答と解説

問1

（1）解答：感覚
　　解説：光刺激を感じた目からの情報によって、脳が目を閉じるように指令を出した結果です。

（2）解答：選択的注意
　　解説：視覚的に知っている人の顔だけを識別した結果です。

（3）解答：認知
　　解説：さまざまな要因によって、情報の意味づけが変化します。

（4）解答：学習
　　解説：A店ではなくB店で買うというように、行動に変化が起きます。

（5）解答：短期記憶
　　解説：その仕事のための記憶であり、完了した時点で忘れます。

（6）解答：外発的動機づけ
　　解説：人にほめられるということを動機とした行動です。

（7）解答：感情
　　解説：感情は、涙を流すという身体的変化をともなうこともあります。

問2

（1）解答：×
　　解説：認知行動の最初の段階のはたらきは、感覚です。

（2）解答：×
　　解説：人の欲求や期待、今までの経験、価値観などによって変わり

ます。
(3) 解答：○
(4) 解答：×
　　　解説：条件反射は、刺激と受動的反応が結び付けられるレスポンデント条件づけによるものです。
(5) 解答：×
　　　解説：モデルの行動を観察することで学習が成立するのは、観察学習です。
(6) 解答：×
　　　解説：記憶のプロセスは、記銘（書き込み）→保持（保存）→再生（思い出す）→再認（確認する）の4段階です。
(7) 解答：×
　　　解説：内発的動機づけです。外発的動機づけの例は、「●●さんがジョギングが趣味だと言っているから自分もジョギングしよう」といった場合です。
(8) 解答：○

問3

解答：①感覚
　　　②短期
　　　③エピソード

memo

Step 2-1

自分らしさとは何か

自分らしいとはどういうことでしょうか。そもそも自分とは何でしょうか。自分を見つめることができれば、より早く真のカウンセラーにもなれます。

 1.「自分らしさ」をつくるもの

「自分らしくありたい」という発言には、誰もが賛成します。それでは、あなた自身の「自分らしさ」を聞かれたら、あなたはどのように答えますか。

　以前、ある学校の授業で、同じ質問をしたことがあります。学生の皆さんは、夢の実現をめざして毎日、一生懸命学んでいる18〜20歳の人たちでした。そろそろ成人を迎え身体も成熟する年頃ですが、「自分らしさとは」と聞くと誰も答えることができませんでした。

　自分らしさについて考えるときには、生まれつきの性格のことも、親の教育や生い立ちも考えることでしょう。現在、好きなことや夢中になっていること、自分の好き嫌いの傾向、誰かを好きだと思う自分のこころの状態、さらに、仕事のやり方、人とのかかわり方なども考えることでしょう。こうしたさまざまな場面での自分を考えて、自分らしさとは何かを探すはずです。

　心理学では、このような自分らしさ（＝個人の性格や特性、個性）をまとめて**パーソナリティ（性格）**[★1]と呼びます。そして、パーソナリティを、大きく4つに分けて考えます。図6を見てください。

●図6　性格の構造（ピラミッド）

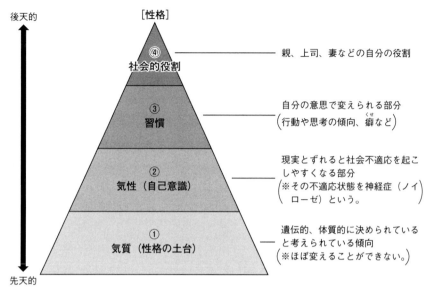

（参考文献）詫摩武俊、鈴木乙史、瀧本孝雄、松井豊著『性格心理学への招待―自分を知り他者を理解するために』サイエンス社、詫摩武俊著『性格』講談社

　4つの分類は、ピラミッドのように1階から4階までの階層になっています。下に行けばいくほど性格の基礎の部分となっていて、年齢を重ねるにつれ変わりにくくなるものです。上層にある習慣および社会的役割は、その人らしさをつくっている大きな要素ですが、環境や自分の意志によって変えることができるものです。

　今まであった習慣や趣味などがなくなった場合でも、これは新たな自分らしさであり、環境や人間関係が変わったために、自分のこころを調整しただけなのです。

2．本当の自分とのずれ

「あなたらしくない」と言われたり、「自分らしくない」と思ったりすることがあります。

人は、いろいろな問題に対面したときや、決断をしなければいけない状況になったとき、「これは自分らしいかな、それとも、自分らしくないかな」「自分はこうでありたいと思っているだけなのかな」「自分ではそう思わないけれど、ほかの人からはそうだと言われるから、これもある種の自分らしさなのかな」などと考えるものです。

　このような自問自答が起きるのは、本当の自分らしさがわかっていないためであることが多いのです。自分のことがわからないのは、思い描く自分の姿には、願望やこうであるべきといった理想が反映されているからです。このため、人の評価と本当の自分、あるいは自分が思い描く姿と本当の自分との間にずれが生じるのです。このずれが大きいと問題が起きてきます。問題が大きくなると強いストレスとなり、さらにはメンタルヘルスの問題にも発展してきます。

3．パーソナリティの違い

　まず、自分の周囲を見回してください。あなたと同じ顔つき、あなたと同じ姿の人はいますか。双子がわざと似せているのでもないかぎり、外見がすべて同じ人を見つけることはできません。同様に、パーソナリティも一人ひとり違います。

　たとえば、あなたがパーティーに参加しているとしましょう。積極的に人に交わり会話を楽しむAさんと、人混みに入らず静かに知人とお酒を飲んでいるBさんとを見比べると、2人のパーソナリティの違いを感じることでしょう。2人へのイメージが定着すると、Aさんがもの静かになっても、Bさんが積極的な行動をとっても、それはたまたまであり、やはり、Aさんは明るい人で、Bさんは静かな人だと思うことでしょう。

　パーソナリティとは、人の行動に表れるその人独自の特徴のことです。パーソナリティに「よい」「悪い」はありません。パーソナリティ

は、自分をとりまく環境に適応して、自分が生きていきやすいようにつくり出している行動パターンのようなものともいえるからです。あなたから見て性格が悪いと思う人も、本人をとりまく環境のなかでは、そういったパーソナリティを保つことで、はじめて過ごしやすい状態をつくることができたのかもしれません。

　人は、成長の過程で社会が広がり、自分をとりまく環境も変わってきます。パーソナリティやものごとの考え方で、当然、生き方が違ってきます。たとえば、子どものときから「お前はだめな子だ」と言われ続けて育った人は、大人になって人間関係のトラブルが起きると、相手が悪いときも、自分が悪いと思ってしまうことがあります。それは、「自分はだめな人間だ」という考え方が、習慣として身についてしまっているためです。常に「自分が悪い」と思って暮らしていると、社会的には不適応を起こします。

　しかし、経験を重ねるうちに、「常に自分が悪いわけではない」「相手が悪いときは、それを指摘してあげるのも優しさのうちだ」などと、今までの自分の考え方を否定したり、違う自分を学ぶ局面に出合うものです。パーソナリティの現れ方は、環境や人間関係によって変わってきます。
「暗い人間だ」「短気な人だ」なども、その人のある一面に過ぎないものです。このように、パーソナリティは、ひと言で言い表せるほど単純なものではないのです。したがって、自分らしさとは何かについて、すぐに答えることができないのは当然のことです。

> **Point!**
> ・パーソナリティは、人それぞれに異なる。
> ・パーソナリティは、その人の環境や人間関係によって変わる。

★1　パーソナリティ（性格）：人を特徴づける持続的で一貫した行動パターン

Step 2-2
パーソナリティ（性格）とは何か

自分らしさのもとになっているのが、パーソナリティ（性格）です。自分のパーソナリティを見つめ直すと、人や社会に対して、もっと上手に付き合うことができるでしょう。

 1．パーソナリティをつくるもの

　Step 2-1で述べたとおり、パーソナリティは、ひと言で言い表せるほど単純なものではありません。しかし、自分がどのようなパーソナリティなのか、自分はどのようにものごとを考える癖があるのか、知っておく必要があります。知ることによって、自分の性格を味方につけた生き方ができるようになるからです。

　パーソナリティとは「その人らしさ」を表すもので、人格、性格、性質、気質などの総称ともいえます。アメリカの心理学者であるオールポートは、パーソナリティという言葉の定義を多面的に検討した上で、結局のところ、「心理学的に考えて、パーソナリティとは真にその人であるもの」と定義しました。

　性格は、パーソナリティとほぼ同じ意味で用いられますが、性格が行動に現れる個人独特で持続的なパターンという目に見える性格そのものを指す言葉であるのに対して、パーソナリティは性格そのものだけでなく、性格をつくり出す心理学的・社会的なしくみも含めて用いられることが多い言葉です。オールポートは、後に、「パーソナリティは、個人の内部で、環境への彼特有な適応を決定するような、精神物理学的体系の力動的機構である」と定義し直しています。

　なお、気質とは、パーソナリティの中でも先天的・生得的なもので、

赤ちゃんにも見られるような行動の個人差をさします（Step 2-4参照）。
　それでは、私たちのものごとの考え方、感じ方、とらえ方を決めているのは何でしょうか。パーソナリティはどのように形成されていくのでしょうか。そして、私たちが心理的な危機状態に陥ったとき、どのように行動するのでしょうか。

2．パーソナリティの分類

　多くの学者が、パーソナリティの研究をして、人の性格の理解と把握を試みてきました。パーソナリティ研究の１つの方法として、パーソナリティの類型論があります。

（1）類型論による分類
　友人や知人、その他多くの人と接しているうちに、「あの人と、この人は性格がよく似ている」とか「雰囲気が同じタイプだ」などと思うことがあります。人をある基準でいくつかのタイプに分けて性格を理解しようとする方法を、類型論といいます。特徴的な性格を設定し、それぞれの性格を分類する方法であり、クレッチマーの体型説とユングのタイプ論が代表的です。
　ただし、類型論は、精神医学的な見地から発生した考え方であり、す

●図7　クレッチマーの体型説

気質的特徴	体型的特徴	性格的特徴
分裂気質	細長型	非社交的、静か、内気、臆病、自閉的、生真面目、変わり者、無関心、鈍感
躁うつ気質（循環気質）	肥満型	社交的、陽気、活発、善良、親切、温かみがある
粘着気質（てんかん質）	闘士型（筋肉質）	熱中しやすい、几帳面、凝り性、こだわりがある、秩序を好む

べての人がこれに当てはまるというものではありません。

a．クレッチマーの体型説

クレッチマーは、分裂病、双極性障害（躁うつ病）、てんかん患者の体型に、一定の法則があるのを見出しました。さらに、メンタル疾患のない一般の人のパーソナリティにも、同じような気質的特徴があると主張し、体型による分類を試みました。図7は、クレッチマーの体型説をまとめたものです（ただし、体型と実際の病気のなりやすさの関係を示したものではありません）。

b．ユングのタイプ論

ユングは、外向性・内向性という2つのパーソナリティ類型で分類を試みました。

外向性とは、外からの刺激に影響を受けやすい傾向があり、外の世界に関心をもち、社交的な性格です。内向性は、興味関心が自分自身に向けられており、自己の内面に価値を認めているため、外に対しての関心が薄く、非社交的な性格です。

さらに、基本的なこころの機能[★1]として、思考、感情、直観、感覚の4つを設定し、その人が日常生活の中でどの機能を得意とするかによって、8タイプ（外向的思考型、内向的思考型、外向的感情型、内向的感情型、外向的直観型、内向的直観型、外向的感覚型、内向的感覚型）に分類しました。

（2）特性論による分類

類型論とは別の分類方法として、特性論があります。類型論が性格をいくつかのパターンの中に当てはめるのに対して、特性論は一人ひとりの性格をより詳しく見ていくものです。

特性論では、パーソナリティを、「社交性」「外向性」「支配性」「真面目さ」「創造性」など、いくつかの特性の視点からとらえます。さまざまな場面で、それぞれの特性を、どの程度発揮するかによって、その人

のパーソナリティを説明しようとするものです。代表的なものに、キャッテルの特性論があります。

キャッテルは、パーソナリティの特性を、質問や行動観察を通じて外から直接観察することができる35個の特性（**表面特性**）に区分し、さらに、これらの表面特性の背後にある12個の特性（**根源特性**）を、分析によって区別しました。そして、これらの根源特性を、どの程度もっているかによって、それぞれのパーソナリティを把握しようとしました。

3. パーソナリティの分類は補助的手段

類型論も特性論も、個人のパーソナリティを把握する助けにはなりますが、完全な方法ではありません。

個人のパーソナリティを把握するために、さまざまな心理検査、測定方法[★2]が開発されてきました。しかし、どれもが補助的手段であり、多面的な人間のパーソリティをすべてとらえることはできません。

- 類型論には、クレッチマーの体型説、ユングのタイプ論などがある。
- 特性論には、キャッテルの特性論がある。

用語解説

★1　基本的なこころの機能：次の4つに分かれる
- 【思考型】理論的に考えることを得意とする
- 【感情型】物事を感情で判断する
- 【直観型】思いつき、ひらめきを重視する
- 【感覚型】感覚で物事を判断する

★2　測定方法：代表的なものに、次の2つがある
- 【知能検査】「ウェクスラー式知能検査（WAIS）」「田中・ビネー式知能検査」など
- 【人格・性格検査】①質問紙法「エゴグラム」「MMPI（ミネソタ多面人格目録）」「矢田部ギルフォード性格検査（Y-Gテスト）」、②投影法「ロールシャッハテスト」「TAT（主題統覚検査）」、③作業法「内田クレペリン精神作業検査」など

Step 2-3
パーソナリティを
つくるもの

性格が遺伝だけに左右されるのなら、子は両親のコピーになってしまいます。両親とは違う人格が形成されるのは、性格を形成する要因がほかにもあるからです。

 1. 遺伝的要因と環境的要因

　久しぶりに会った親戚(しんせき)に、「お父さんに似てきたね」「お母さんと話し方がそっくりね」などと言われたことはありませんか。外見ばかりでなく、性格まで親に似てきたと言われることもあるでしょう。遺伝は性格に影響します。一方、以前はそっくりだと思っていた双子が、離れて暮らしているうちに、外見も性格も違ってくることもあります。遺伝だけでなく、環境も性格に影響します。

　人間のパーソナリティには、生まれつきもっている部分（遺伝的要因）があります。多くの学者たちが、家系や双子の比較研究などを行い、遺伝的要因について研究し、その存在は明らかになっています。しかし、環境の影響を完全に切り離してとらえられない場合も多く、必ずしも遺伝的要因のほうが重要であるとは言い切れません。

　また、人間のパーソナリティは、育った環境に大きな影響を受けています。生まれ育った家庭や家族構成、親の育児方法や態度（**環境的要因**）によって、大きく変わります。

　たとえば、家庭環境では、長子、真ん中、末子それぞれに類型的な性格があるといわれるように、生まれた順序も関係があります。また、支配的な両親に育てられると、おどおどした性格になったりします。また、友人関係や学校時代の生活などもパーソナリティにかかわってきま

す。さらには、社会や国柄、気候、風土、時代的な要因も関係します。「男なら泣くな」といった社会通念も関係があるでしょう。

しかし、同じ環境のなかであっても、体験のとらえ方などは一人ひとり異なり、プラスに働く場合も、マイナスに働く場合もあり得ます。

なお、遺伝的要因と環境的要因は切り離せない場合が多く、どれが遺伝で、どれが環境であるかは区別しにくいものです。たとえば、父親が音楽家である子が音楽家になったとしても、それが遺伝の結果なのか音楽環境が整っていた結果なのか、特定することは難しいものです。

2．個体的要因

パーソナリティの形成には、身体的な構造や生理的な機能も影響しています。たとえば、ダイエット食品の広告には、「やせたら世界が変わって、性格も明るくなった！」などという体験談が載っています。このように、自分の容姿や体型などで、自信がついたり劣等感を覚えたりすることがあります。また、自律神経の失調が起こると、いらいらして怒りやすくなったりします。大病の前後や、その日の体調によっても、パーソナリティが変わる部分があります。

- 人の性格はさまざまな要因によってつくられていく。
- 性格は環境の変化や経験を積むことで変わっていく。

Step 2-4
パーソナリティは変化する

自分の性格を変えたいと思ったことはありませんか。そのようなとき、自分のパーソナリティ（性格）の構造を理解していれば、今よりももっと成熟した自分に出会うことができるでしょう。

 1. パーソナリティは変わる部分がある

　パーソナリティは、一度形成されたら完成するというものではありません。環境の変化や、経験の積み重ねによって、さまざまに変容していくものです。

　遺伝的要因は変えられませんし、個体的要因も自分で変えるのは難しい部分です。しかし、環境的要因は変えていくことができます。環境を変えれば、パーソナリティを変えられます。また、パーソナリティが変われば、環境も変わるということが起こり得ます。

　たとえば、職場で、生真面目すぎて、1つひとつ堅実さを確かめなければ先に進めない人が、直感的で、ひらめいたらすぐに行動するタイプの部下をもつと、同じチームで仕事をするのが困難な場合もあるでしょう。上司が部下の行動や仕事のやり方に、いちいち苦言を呈するようでは、職場全体の士気が下がり、業績まで下がりかねません。そこで、多少気になる部分があっても部下のやり方に任せ、どうしても必要なときに口を出すなど、自分の行動パターンを変えてみます。すると、ただうるさかっただけの上司が、何かのときには頼りがいのある信頼できる上司へと、周りの見方が変わってきます。そして、職場全体の雰囲気も上がり、業績も上がっていくことにもなるでしょう。つまり、自分とは正反対のパーソナリティの部下をもつ立場によって、その人自身のパーソ

ナリティに変化が起こり、より成熟したパーソナリティを獲得できたことになります。職場の雰囲気がよくなり、業績も上がるという環境の変化も経験となり、その人のパーソナリティは、さらに変容していくことでしょう。「性格は変えられるものですか」という問いには、「変えやすい部分もあるし、変えられない部分もある」という答えが間違いのないところでしょう。

2．性格には段階がある

図8は、Step 2-1の図6に示した性格構造を、変化のしやすさについてわかりやすくイメージするために書き換えたものです。

●図8　性格の構造（円）

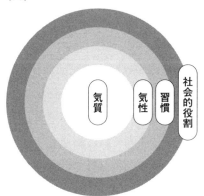

（1）気質

同心円の一番深いところにあるのが気質であり、生理的に決められた割合が大きい部分です。同じ生後間もない赤ちゃんでも、人になつきやすい赤ちゃんと、抱っこしようとするだけで大声で泣き出す赤ちゃんがいます。これも気質の違いです。気質は、後から変えることはほぼできないと考えられています。

(2) 気性

　気質の外側にあるのが気性です。気性は幼年期に家族との関わりのなかからつくられるもので、両親などの養育者の影響が大きいほか、Step 2-3で述べた長子・真ん中・末子のような出生順序などによっても異なってきます。「三つ子の魂(たましい)百まで」といわれますが、これが気性のことです。気性も、後から変えることは難しいと考えられています。

(3) 習慣

　気性の外側にあるのが習慣（習慣的性格）です。友人との生活や学校環境などによってつくられます。たとえば、友達とけんかをしたときに、本当は自分も悪かったとわかっていながら、素直に自分から謝ることができないといった態度が習慣的性格に当たります。習慣的性格は、自分の意志で変えることができます。

(4) 社会的役割

　最も外側にあるのが社会的役割（役割的性格）です。社会的役割は、日常の場面に応じて意識的、無意識的に変化しています。人は、会社や家庭、友人関係、地域などさまざまな場面でそれぞれの役割を担っています。たとえば、学生の仲間内では、あるときは先輩であり、あるときは後輩であったりします。また、会社では部長という役職に就いているため部長らしくし、家に帰れば優しい母親という家族の一員らしくします。このように、役割に従って行動するというものが社会的役割です。

3. 性格は変えられるか

　図8に示したパーソナリティ（性格）の構造では、内側にある性格ほど、先天的・遺伝的に決められた面が強く、一貫性が高く、変えることが困難です。外側になるほど、性格はその人の置かれた社会的な状況に

よって決められる傾向が強く、一貫性は低く、変えるのは容易であると考えられています。

　私たちは、歳を重ねるにつれて、変化していく環境に適応していきます。気質や気性などの性格は変えることは難しいですが、習慣や社会的役割を変化させていくことで社会に適応していくことができます。

・性格には、変わりやすいものと変わりにくいものがある。
・社会に適応していくためには、変わりやすい性格を変化させることが大切である。

Column 02　占いと心理カウンセリングの違い②

　もちろん心理カウンセラーも、クライエントの現在の状況によって引き起こされるかもしれない「悪い未来像」は想定できます。しかしそれは、あくまでも最悪のシナリオをこころの中に描いておくことによりクライエントにその道を歩ませないようにリードするためであって、決して口にするべきことではありません。

　占いでは、「あなたの現在（運命）は刻々と変化していきます」とされます。ここに占いの悪い面とよい面があるといってよいでしょう。つまり占いは、未来の予言に対して責任をとる必要がないのです。なぜなら、現在（運命）は刻々と変わるものであり、占いが示す未来を信じるか信じないかは、相談者の責任だからです。相談者も、それを了解していて、信じたいことだけを信じるという風潮があるようです。

　心理カウンセラーの仕事は、クライエントと「その人の今」を分かち合うことです。分かち合いにより、クライエントがこころから安心できて、問題解決への力を取り戻し、実際は誰もわからない未来への一歩を踏み出す準備ができるのです。

Step2 理解度チェック

問1 次のパーソナリティの表れ方に関する文章について、①～③に関連するパーソナリティの構造の名称を解答欄に記入してください。

　Xさんはおとなしい人であった①が、「自分を変えたい」と思い、積極的に発言をしたり、クラス委員などにも立候補した②。そして、社会に出て、営業として働くうちに、はきはきとした「人当たりのいい人」といわれるようになった③。

① [　　　　　　　]　② [　　　　　　　]　③ [　　　　　　　]

問2 次のクレッチマーの体型説に関する文章で、正しいものには○を、間違っているものには×を解答欄に記入してください。

[　]（1）クレッチマーの体型説を見れば、こころの病気になりやすい体型がわかる。

[　]（2）分裂気質は細長型の体型で、性格の特徴は非社交的、内気な変わり者とされる。

[　]（3）躁うつ気質は筋肉質で、性格の特徴は冷たい、強引な、きつい性格とされる。

[　]（4）粘着気質は闘士型の体型で、性格の特徴は熱中しやすい、几帳面、凝り性、秩序を好むとされる。

問3 次の文章で、正しいものには○を、間違っているものには×を解答欄に記入してください。

[　]（1）体型とメンタル疾患の関連性について研究したのは、ユングである。

[　　]（2）パーソナリティのうち、行動や思考、ものごとを考える癖の部分を習慣という。

[　　]（3）ユングはパーソナリティについて、「外因」「内因」という類型で分類を試みた。

[　　]（4）パーソナリティは、環境の変化によっては変わらない。

[　　]（5）パーソナリティのうち、社会的役割とは、最も変わりにくい部分である。

[　　]（6）双極性障害（躁うつ病）に関連の深い性格は、粘着気質である。

[　　]（7）パーソナリティによい悪いはないが、社会適応しているかしていないかは考える価値がある。

[　　]（8）パーソナリティは、どのような場面においても変わることがない。

問 4　次の文章で、間違っているものを1つ選び、解答欄に記号を記入してください。

A．パーソナリティのうち、気質は、ほとんど変えることができない部分といわれる。

B．パーソナリティには、社会適応的と不適応的がある。

C．パーソナリティの形成要因としては、体質的要因、環境的要因、個体的要因などが考えられる。

D．パーソナリティは状況によって変化し、さらに、経験や年齢とともにも変化する。

E．キャッテルは、パーソナリティを35の特性に分類した特性論を展開した。

[　　　　]

Step2
理解度チェック 解答と解説

問1

解答：①気質（性格）　②習慣（習慣的性格）　③社会的役割（役割的性格）

解説：もともとの気質（性格）を、努力によって変えようとし、かつ、社会的な役割にも適応していった例です。

問2

（1）解答：×

解説：分裂病、双極性障害（躁うつ病）、てんかんの患者の体型に一定の法則があるのを見出しましたが、病気のなりやすさを見出したわけではありません。

（2）解答：○

（3）解答：×

解説：躁うつ気質は肥満型であり、社交的、親切、温かみがある性格とされます。

（4）解答：○

問3

（1）解答：×

解説：体型とメンタル疾患の関連性について研究したのは、クレッチマーです。

（2）解答：○

（3）解答：×

解説：ユングはパーソナリティについて、「外向性」「内向性」とい

う類型で分類を試みました。
（4）解答：×
　　　解説：パーソナリティは、環境の変化によっても変わります。
（5）解答：×
　　　解説：社会的役割は、現在の役割に応じてつくられる部分であるため、最も変わりやすい部分です。
（6）解答：×
　　　解説：クレッチマーによると双極性障害（躁うつ病）に関連の深い性格は、躁うつ気質で、肥満型です。粘着気質は闘士型の体型で、てんかんに関連が深いです。
（7）解答：○
（8）解答：×
　　　解説：場面によって変化し、経験や年齢とともにも変化します。

問4

解答：C
解説：体質的要因ではなく、遺伝的要因と環境的要因および個体的な要因です。

memo

Step 3-1
環境の変化に適応する

私たちは、自分をとりまくさまざまな環境に適応しようとしています。適応がうまくいかずに、反応が過剰になったり、反応しきれなくなると、さまざまなこころの問題を引き起こします。

 ## 1．環境への適応と不適応

　社会生活を営む私たちは、多くの環境の変化を経験してきているはずです。振り返ってみると、入学、進学、就職、結婚、転居などから、クラス替えや異動、新しい人との出会い、親しい人との別れまで、大小さまざまな環境の変化が私たちに影響を与えてきました。

　このように自分をとりまく環境が変化したとき、私たちは、変化に合わせて自然と自分の行動や反応を変えたり、自分の欲求を満足させるために環境にはたらきかけたりします。このこころのはたらきを**適応**★1といいます。

　しかし、人間の適応能力には限界があります。環境の変化があまりに激しく、適応しきれないときや、自分の欲求が満たされない欲求不満の状態（**フラストレーション状態**★2）のときは、**不適応**★3を起こします。

 ## 2．不適応がもたらす問題

　環境への不適応を起こしたときの反応は、人によってさまざまです。
　問題になりやすいのは、学校・職場・家庭・社会への不適応状態です。学校への不適応は、不登校や引きこもりの問題を引き起こします。職場への不適応は、失業やニート（無職）の問題を引き起こしかねません。

家庭への不適応は、離婚やDV（家庭内暴力）、児童虐待などの問題を引き起こしやすくなります。社会への不適応は、孤立化を招きます。

たとえば、仕事がうまくいかない父親が、家に帰って子どもに「部屋が汚い、片づけなさい！」と怒り出すことがあります。これは、仕事がうまくいかないことを、子どもに八つ当たりしているのです（**攻撃的行動**★4）。あるいは、毎晩のようにお酒を飲んで、「どうせ俺なんか…」と、くどくどと愚痴を言って酔いつぶれたりします。これは、言ってもしかたのないことを繰り返しているだけ（**固着反応**★5）で、何も問題解決を図ろうとはしていません。また、下の子が生まれたとたんに、今までは母親を独占していた上の子が、おもらしをするようになったり、べたべたと甘えてくるようになったりします（**退行反応**★6）。

しかし、不適応の状態になっても、混乱せずに、事態を的確に把握し、対処できる力をつけていくことは可能です。その力は、生まれながらの性格によるところもありますが、経験によって培われていくところが大きいものです。

環境に適応していれば、自分の目標を達成しやすくなり、欲求も満たされるようになります。しかし、不適応の状態に陥ると、目標の達成が困難になるだけではなく、慢性的に欲求不満になって自己否定感（悲観的な自己の認知）をもちやすくなります。

> Point!
> ・適応は、環境の変化に反応した行動をいう。
> ・適応能力を超えると不適応を起こす。

用語解説

★1　適応：環境や周りの人との間で調和した関係を保ち、心理的にも安定している状態
★2　フラストレーション状態：欲求を満たすことができない状態
★3　不適応：環境や周りの人と調和した関係がもてず、不安感、焦燥感、劣等感など心理的に不安定な状態
★4　攻撃的行動：怒りや敵意を向ける、中傷するという反応
★5　固着反応：問題解決に役立たない行動を、いつまでも無意味に繰り返す反応
★6　退行反応：年齢よりも幼稚な行動を示す反応

Step 3-2

欲求不満に耐える力

自分の考えや行動が周囲の人々に認めてもらえないことは、よくあることです。このようなとき、人間は、その欲求不満を解消・解決する行動をとり、環境へ適応しようとします。

 1．欲求不満が起きる原因

　自分の欲求が簡単に満たされることは少ないものです。欲求は、何らかの原因によって、制限されたり、抑圧されたりします。いつまでも、あるいは、何度も、欲求が満たされない状況に置かれると、私たちは、気持ちのゆとりを失い、内部の緊張から焦燥の状態に陥るなど、欲求不満の状態になります。

　ここで、どういったものが欲求不満を引き起こす原因になるのか整理してみましょう。心理学者のローゼンツヴァイク[*1]は、図9のように分類しています。

●図9　欲求不満の原因

外部的原因	欠乏	欲求を満足させる対象が存在しない場合（食料や水の欠乏など）
	喪失	今まで存在していた欲求満足の対象が失われた場合（愛情の対象との別れ、失職など）
	葛藤（かっとう）	外的な妨害物または障壁のため、心理的葛藤が生まれた場合（交通規制のため目的地に行けないなど）
内部的（個人的）原因	欠乏（欠陥）	欲求を満足させるのに必要な機能を欠いている場合（身体的な欠陥、能力の欠如など）
	喪失（損傷）	今までもっていた欲求満足のために必要な機能が失われた場合（病気や負傷など）
	葛藤	個体内の抑圧などのため、本来の欲求との間に心理的葛藤が生まれた場合（道徳感や失敗への不安による行動の抑制など）

ローゼンツヴァイクは、欲求不満は、**図9**のような原因を個人がどう受け止めるかによって生まれるとしています。また、欲求不満が起きる前提として、欲求が強いことがあるため、基本的欲求[★2]が満たされないときに起きやすいといわれます。

2．子どものころからの育ち方との関係

同じように社会生活を送っていても、欲求不満になったりならなかったりと個人差が出てきます。つまり、欲求不満に耐える力が人によって違うということになります。ローゼンツヴァイクは、欲求不満に耐える力を**欲求不満耐性**[★3]（フラストレーション・トレランス）と称しました。

欲求不満耐性は、欲求不満の状態に耐えて状況を受け止め、どう対処したらいいのかを冷静に分析し、乗り越えていく能力をいいます。生活経験、知的・技術的能力、性格、生理的・身体的条件などによって備わるものです。

欲求不満耐性の高い人は、子どものころから欲求を我慢することを学び、欲しいものは必ずしもすべて手に入るものではないという思考を、自然に受け入れられる性格を形成してきた人といえます。

> **Point!**
> ・欲求不満が起きるのは、外部的原因、内部的原因が引き金になる。
> ・原因の受け止め方によって、欲求不満の現れ方が違ってくる。
> ・欲求不満耐性とは、欲求不満の状態を乗り越えていく能力をいう。

用語解説

★1　ローゼンツヴァイク：フランツ・ローゼンツヴァイク。欲求不満耐性を提唱した心理学者
★2　基本的欲求：食欲、性欲、睡眠、排泄、呼吸など、個体や種の生存を維持するために生物が本来もっている欲求
★3　欲求不満耐性：攻撃的反応、退行的反応、固着的反応などの不適応な行動をとることなく、フラストレーションに耐えられる能力

Step 3-3

こころを守る機能

私たちのこころは、実にデリケートなものです。外界からの攻撃や摩擦にあうと、すぐに傷ついてしまいます。そのようなときに、無意識にこころを守ってくれる機能を防衛機制といいます。

1．こころの安全装置

　私たちの身の周りは、たくさんのできごとであふれています。楽しく、愉快なことばかりならいいのですが、実際には悲しく苦しいこともあります。たとえば、家族が亡くなったり、取り返しのつかない失敗をしたり、大失恋をしたとき、そのようなつらいことをまともに受け止めていたら、こころが破綻してしまうことでしょう。突発的なできごとでなくても、欲求不満や葛藤も同じです。何度も繰り返されたり、放っておかれたりすると、心理的な緊張や不安がどんどん高まり、何も手につかなくなることがあります。

　このようなとき、こころが崩壊してしまうことを防ぐために安全装置がはたらき、自分を守ろうとします。このこころのはたらきを、**防衛機制**★1といいます。「防衛＝守る」「機制＝システム」と置き換えられ、こころの安全装置といえます。免疫システムが身体に侵入する外敵をブロックするように、防衛機制は、こころに対するさまざまな攻撃や摩擦をブロックしたり、軽減したりします。

　防衛機制は、誰にでもある正常な心理作用で、通常は、無意識のうちに発生します。多くの場合は、情緒的な反応によって、不合理な解決のしかたがされます。図10に、主な防衛機制をまとめておきます。

図10 主な防衛機制

種類	内容	具体的行動の例
抑圧	自分が受け入れられない考えや感情、記憶を否定し、なかったことにしたり、こころのなかに押さえ込んで、自分を脅かすものや不安から防衛する。	人前で大恥をかいたことを忘れてしまう。親に虐待された子どもがその事実を忘れてしまう。
否認	自分が受け入れられない考えや感情を認めず、事実を否定したりねじ曲げて、自分のこころの安定を保とうとする。	夫の死を受け入れられない妻が、夫は死んでいないと信じ込む。病気を宣告された人が、自分は病気ではないと考え、通院をやめてしまう。
合理化	都合のいい理由づけをして自分を正当化したり、他の人やものに責任転嫁して、自分の不安や葛藤から防衛する。また、受け入れたくない現実を、受け入れられるように変えてしまう。	仕事がうまくいかなかったのは、上司の指示が悪いからだ、ゴルフでスコアが伸びなかったのは、その日の体調が悪かったからだと考え、自分の失敗や欠点を認めようとしない。
同一視（同一化）	他人の優れた能力や実績を、自分のものであるかのように考え、満足や安定を得ようとする。	スポーツ選手やアイドルに夢中になり、その人の髪型、服装などをまね、自分に自信をつけようとする。自分の学歴が低い親が、子どもにはいい学校に行かせ、それを自慢することで自分のコンプレックスを解消しようとする。
投影（投射）	自分が受け入れられない考え方や感情を、他人のなかに見出し、それを非難したり攻撃したりして、自分の罪悪感や葛藤から逃れる。	ある知人のことをひどく嫌っているが、自分がその人を嫌っているのではなく、その人が自分を嫌っているのだと思い込む。
反動形成	自分が受け入れられない考え方や感情とは逆の行動や態度をとることで、自分の不安や葛藤から逃れようとする。	本当はその子のことが好きなのに、意地悪をして泣かせてしまう。がんを宣告された人が、自分はそんなものには負けないと強がってみせる。

次ページへ続く

種類	内容	具体的行動の例
逃避	困難や葛藤を避けるために、逃げ出したり、他のことをして自分を守ろうとする。	テスト前になると、勉強もせずに部屋を片づける。仕事がうまくいかないいらいらをアルコールやギャンブルで紛らわそうとする。
置き換え	実際に不安や恐怖、怒りを感じる対象ではなく、代わりの人やものに不安や恐怖、怒りを感じたり、ぶつけたりする。そうすることで、本来の対象からの攻撃を防いだり、不安、罪悪感や欲求不満を解消しようとする。	先生に怒られた子どもが自分より弱い子どもをいじめる。病気が治らないことのいらだちを看護師や家族にぶつける。いわゆる八つ当たり。
補償	不得意な面を他の面で補おうとすることで、劣等感や緊張感を解消しようとする。	勉強ができないぶんスポーツでがんばる。料理は苦手だが掃除は得意である。
昇華	すぐには実現できない欲求を、社会的価値・文化的価値の高い活動で発散し、欲求不満を解消する。	さまざまな気持ちの葛藤を文章にし、執筆活動で自分を表現する。日頃の憂さをスポーツで発散する。
退行	耐えがたい事態に直面したとき、発達の未熟な段階に戻って、不安や葛藤から自分を守ろうとする。	弟が生まれたとたんに、兄が指しゃぶりやおもらしをする（幼児返り）。病気になったときに、本当は自分でできることでも、甘えて家族にやらせる。
攻撃	他人や物を傷つけたり、規制を破るなどして、欲求不満を解消しようとする。	親に怒られた不満を、壁をなぐって解消しようとする。仕事で怒られたことの腹いせに、わざと遅刻したりする。

 ## 2．健康的な防衛機制と非健康的な防衛機制

　防衛機制は、私たちが生きていくうえで、自分を守る手段として大変重要なこころのはたらきです。しかし、防衛機制にも、健康的なものと非健康的なもの、そのどちらにもなりうるものがあります。

健康的な防衛機制は、その場面に適している反応・行動で、他人にも受け入れてもらえるものです。たとえば、補償や昇華などは、他人からも認められる行動です。また、幼児返りなどの退行も、子どもや弱っているときであれば、当たり前のこととして受け止めてもらえるでしょう。しかし、いずれも度が過ぎると非健康的になります。勉強ができないからと、異常なほどにスポーツに熱中し、からだをきたえること以外には関心をもたない（過度の補償）などは、やはり、健康的とはいえません。また、投影（投射）や攻撃は、その場に適した行動ではないことが多く、不健康な防衛機制といえます。

　防衛機制は、誰もが日常的に使うこころの安全装置ですが、その程度によっては、健康的にも非健康的にもなります。たとえば、一時的に感情を抑圧することは、こころの安定を保つために必要なことです。しかし、常に自分の感情を抑圧し続けると、ストレスが溜まり、耐えきれずメンタル疾患を起こし、生活に支障をきたしてしまいます。神経症といわれるメンタル疾患は、不適切な防衛機制の結果であることも多いです。

　人によって、その人が選択しやすい防衛機制のパターンがあります。しかし、そのパターンは、人間的な成長や成熟によっても変わります。こころが成熟していくと、こころの危機的状況に対して、場に最も適した防衛機制を、しかも柔軟に選択できるようになります。防衛機制は、本人も気づかないうちに起こりますが、いろいろとケースを考えて理解しておくと、日常生活にも役立ちます。

> **Point!**
> ・防衛機制とは、こころが崩壊するのを防ぐ「こころの安全装置」である。
> ・防衛機制はだれにでも起きるものであり、健康的なものと健康的でないものがある。

用語解説

★1　防衛機制：切迫した状況の際、自分が傷ついたり、崩壊することを防ぐため無意識に選択される手段

Step 3-4
生きづらさの原因
(認知の歪み)

人によって考え方はさまざまです。しかし、いつの間にか、ものごとをあるがままに受け入れられなくなって、自分にとってつらい考え方をするようになっているときがあります。

 ## 1. 認知は人によって異なる

　Step 1-4で述べたように、認知とは、目の前の事象をどうとらえるかという、とらえ方のことをいいます。人によっては、何でもポジティブにとらえたり、あるいは、何でもネガティブにとらえたりします。同じものを見ているのに、どうしてこれほどとらえ方が違うのだろうと、不思議に思うことがあります。

　「感覚」「知覚」「認知」(Step 1-3参照) は、人それぞれで異なります。たとえば、同じ山村の風景を見ていても、ある人には緑が多いだけの不便な土地と映りますが、ある人には懐かしい故郷を思わせる親しみのある田園風景と映ります。外界からの同じ刺激に対しても、認知のされ方は、それぞれのもつ経験や置かれた状況が影響します。さらに、認知には、思考や感情の動きなど、より広い精神活動が含まれてきます。こころの機能がより複雑に絡んでくるため、事象のとらえ方も十人十色であっても不思議ではないのです。

 ## 2. ストレスを生みやすい考えが認知の歪み

　認知が歪むとは、どういうことなのでしょうか。認知の歪みとは、欲求不満やストレスを作りやすい考え方といえます。たとえば、非常に腹

が立つできごとに遭遇して、急激に怒りの感情が噴き出したとします。確かに、できごとを見てすぐに感情が高ぶりましたが、実は、このできごとと感情の高ぶりの間には、認知というプロセスがあります。

| できごと | → | 考え（認知） | → | 感情 |

　できごとを知覚（この場合は視覚）でとらえ、そのできごとは自分にとってどういうものなのかをこころで考え（認知）、それが怒りの対象となるものであったために、感情が噴き出したのです。この考えは、妥当なものばかりではありません。欲求不満やストレスを生み出しやすいものもあり、これを認知の歪みといいます。

　認知に歪みが起こると、ものごとをあるがままに感じられなくなって、大したことでもないのに落ち込んでしまったり、頭に来たりして、ストレスが多くなってしまいます。

　自分の認知の歪みを修正することで、ものごとをあるがままに受け止められるようになり、心的ストレスが減ると、よりよい考え方ができる方法を見つけやすくなります。カウンセラーは、クライエントに起こっている認知の歪みを見つけて、認知を修正することを軸にカウンセリングをすることが多々あります。Step 4-4で学習する認知療法[1]の手法にもつながりますので、しっかり理解しましょう。図11（P.60〜62）に、主な認知の歪みの例を載せておきます。

　図11のような認知の歪みは、日常、誰にでもよく起こるものですが、度が過ぎるとうつ病の症状となります。反対に、うつ状態が過度になると、認知の歪みがより強く表れる傾向があります。たとえば、親の介護をしなければならない、仕事が非常に忙しい、離婚をしたなどは、大きなストレスとなります。そして、大きなストレスにさらされたとき、認知の歪みが出てきやすくなるのです。また、認知の歪みは、新たなストレス要因をつくり出したり、長引かせたりします。ストレスの総量が、その人のこころの許容範囲を超えたとき、脳の機能低下が起きて、思考力や精神力がなくなり、うつ病が発生すると考えられています。

● 図11　認知の歪みの10パターン

種類	内容	具体的行動	問題点
二分割思考（オールオアナッシング思考）	通常、事実は2極で評価するほどシンプルではないのに、ものごとを「全か無」「白か黒」「0か100」の2極で考え、中間を考えないこと	たった1つのミスで、もうすべてが無理だと考えてしまう、「すべて台なしだ」「自分はもうだめだ」「完全に●●でなくてはならない」と思うなど	すべてのものごとを善・悪、成功・失敗などの2極で判断すると、多くの場合、満足感が得られず、苦しむことになる
過度の一般化	1つや2つの事実を見て、「すべてが●●だ」「いつも●●だ」と思い込んでしまうこと	誰か一人とうまくいかないだけで、「自分は誰ともうまく付き合えない」と感じてしまうなど	ただ一度の失敗を、「どうせ次も失敗するに決まっている」などと考えると、自分の可能性を否定してしまいかねない
こころのフィルター（選択的抽出）	ものごとの悪い面（または、よい面）ばかり目に入ってしまい、他のよい面（または、悪い面）を見ようとしなくなるなど、偏ったこころのフィルターができること	過去に起きた不快なできごとにこだわり、すべてのできごとを、好ましくないもの、自分を不快にするものととらえるなど	偏った見方でとらえる傾向は、うつ状態になると顕著になってくる
マイナス化思考	何でもないことや、成果・成功に対しても割り引いて評価したり、よいできごとを無視して、悪いできごとにすり替えてしまうこと	ほめられても「お世辞をいわれている」と思ったり、昇進すると「過大評価された」「自分には務まらない、昇進しないほうがよかった」と思ったり、好きだと言われると「どうせうまくいかない」「口先だけだ」「本当の自分をわかってくれてはいない」と思い込むなど	相手の言葉を信頼できずに、他人の好意・信頼・愛情を素直に受け取って感謝することができなくなり、どんどん悲観的になってしまう（認知の歪みの典型）
結論の飛躍①独断的推論（こころの読みすぎ）	わずかな理由から相手のこころを勝手に推測し、事実とは違う、または、まったく事実無根の結論の先取りをしてしまうこと	たまたま何かの都合で電話に出られなかった交際相手のことを、「誰かほかの人と会っているに違いない」「もう自分のことが嫌になって電話に出ないのだ」思い込むなど	非社会的になってしまい、人間関係で大切な人を失う結果になりかねない

種類	内容	具体的行動	問題点
結論の飛躍②先読みの誤り	本当は正確に知ることができない未来のできごとを、まるで未来のことがわかるかのように予言し、事態は確実に悪くなると決めつけること	「このプロジェクトは絶対にうまくいかない」と考えたり、「この交際は将来破局を迎える」と思い込むなど	非社会的になってしまい、人間関係で大切な人を失う結果になりかねない
拡大解釈／過小評価	自分の短所や失敗を必要以上に大変なことにとらえ、自分の長所や行ったことに対する成果や成功は、些細なことと小さく見積もってしまうこと	仕事で高い評価を得ているのに、「些細なことだ」「自分でなくても可能なことだ」ととらえたり、逆に、些細なミスを大げさにとらえ、「自分にはこんな欠点がある」「自分が無能だからだ」と思ってしまうなど	周囲の人のこころからの評価や賛辞を表面的なものと思ってしまい、自分のなかでの本当の満足感や達成感を得ることができなくなってしまう
感情的決めつけ	相手の言葉や態度が冷たくて突き放された感じをもったために、その人は自分のことが嫌いであると思いこむ、自分は何も興味がわからず喜びも感じないため、世の中は無意味で生きて行く価値がないと思いこむこと	ある人の言い方に「自分を批判している」と感じて、その人が自分のことを嫌って攻撃していると思い込んだり、面接のとき、面接官の言葉が自分には冷たく感じ、「きっと落とされるだろう」と思ってしまうなど	そのときの自分の気分や感覚で現実を決めてしまう（うつ病（気分障害）によく現れる）
べき思考	何かやろうとするときに、「●●すべきである」「●●すべきでない」「●●はこうあるべきだ」と考え、本人固有のルールに過ぎない「●●べき」を社会のルールであると思い込むこと	「常に明るく振舞っていなければならない」「人に弱い面は見せてはならない」と考えるなど	何をやっても失敗に思えてしまい、満足感が得られず、自己嫌悪に陥ったりする。さらに、「自分はこれだけのことをしてあげたから、相手も自分にそれだけのことをすべきである」と考え出すと、人間関係にも問題が起きてしまう

次ページへ続く

種類	内容	具体的行動	問題点
レッテル貼り	一部だけを見て、それがすべてであるかのように評価し、自分や他人に「無能な人間だ」といったネガティブなレッテルを貼ること	職場でのちょっとした失敗に、「こんなミスをするなんて、社会人失格だ！」などと自分を追いつめるような考え方をしてしまうなど	自分に貼るレッテルは、ネガティブで自己破壊的になり、他人に貼るレッテルは、相手のネガティブな側面だけを見ていることが多いため、争いのもとになりかねない
自己関連づけ（自己中心思考）	何か悪いことが起きると、実際には関係のないことでも、「悪いのは自分だ」と自分のせいにすること	子どもの偶発事故に「自分がだめな母親だからだ」と感じたり、グループでやった仕事がうまくいかず、誰の責任でもないのに「自分のせいだ」と自らを責めるなど	過度な罪悪感や自責感が生じて、抑うつ感（絶望感・無気力）へと発展する

　たとえば、家族が認知症になってしまった、認知症の家族を介護しなければならない、という現実があったとします。この事実は、時間を遡って変えることはできませんが、ここに挙げた10パターンのようなとらえ方に陥って、悪い方、悪い方へと引っ張られてしまっていないか、立ち止まって再確認してみることは、今からでも有効です。
「こうあるべき」、「こうしなければならない」という考え方はやめて、その状況を当たり前のこととととらえ、前向きに考え、自分自身を受け入れるポジティブ・シンキングが大切です。

- ものごとのとらえ方の歪みを、認知の歪みという。
- 認知の歪みが、不適応を起こす原因となることがある。

用語解説

★1　認知療法：認知の歪みを修正することによって、感情や行動の変容を図る心理療法

Column 03　こころの成長と高齢者の心理

　かつては、子どもが大人になるまでが「発達」であると考えられていました。身体の成長はそのとおりといえます。現在では、人間の成長は、老年期まで生涯を通してこころの発達・成長を続けるものととらえています。この人間のこころに注目した考え方を発達心理学といいます。人生すべてを1つのサイクルととらえ、それぞれの年齢に年相応のこころの課題があると考えます。

　発達心理学によると、高齢者に与えられた人生課題とは「人生の完成」です。人生の完成とは、自分の人生を受け入れて、やがて来る死と向き合うということです。これは、自分がこれまでの人生をかけて描いてきた1つの物語を完成させることにほかなりません。

　人生の完成期を迎えた高齢者とのコミュニケーションで、心理カウンセラーとして押さえておきたいのはその心理です。高齢者の心理を知っておくと、高齢者との接し方も自然にわかるようになります。高齢になると、社会的にも家庭内でも自分の役割が変化します。それにより、自分はいらない人間なのではないかと悲観します。また、役割をなくした老人と扱われることに対して抵抗を示すために、自分の意見に固執したり、他人の考えを断固拒否したりすることがあります。それが、周囲に「頑固」「意地っ張り」などと感じさせる原因です。その後、老いを認めざるを得ない状況に遭遇すると、今度は意欲の低下が起こり、抑うつ状態にもなります。

　高齢者の心理的特徴は、死に対する不安と恐怖、孤独感、過去への執着、老いによる体力の低下がもたらす自信の喪失、不満、周囲への攻撃などです。しかしこれらは、人生の完成に向かうための当然の心理といえます。人によって人生観は異なりますが、高齢者のこころも必ず適応していくものです。なぜなら、身体は衰えても、こころは一生をかけて発達するものであるからです。

Step 3
理解度チェック

問1 次の「仕事で大きなミスをしてしまったとき」の反応・行動の背景にある防衛機制は、何と呼ばれるものでしょうか。下記の語群から、最も適切な語句を選び解答欄に記入してください。

(1)「これはそんなに大事な仕事じゃなかったから、集中できなかった」　　　　　　　　　　　　　　　　　　　[　　　　　]

(2)「むしゃくしゃするから、今日はやけ酒だ」
　　　　　　　　　　　　　　　　　　　　　　　[　　　　　]

(3) 部下に八つ当たりする。
　　　　　　　　　　　　　　　　　　　　　　　[　　　　　]

(4)「この仕事はダメだけど、コンピューターの知識なら誰にも負けない」　　　　　　　　　　　　　　　　　　　[　　　　　]

(5) 仕事ができる人と同じ携帯電話や手帳、鞄(かばん)を持つ。
　　　　　　　　　　　　　　　　　　　　　　　[　　　　　]

(6)「あれは自分のミスじゃない。誰かが自分を陥れようとしているのだ」　　　　　　　　　　　　　　　　　　　[　　　　　]

(7) 自分をきつく叱った嫌いな上司について、必要以上によいうわさをする。　　　　　　　　　　　　　　　　　　[　　　　　]

【語群】

否認　投影　合理化　置き換え　昇華　逃避　抑圧　反動形成
補償　退行　同一視

問2 次の文章で、間違っているものを1つ選び、解答欄に記号を記入してください。

A．フラストレーション状態とは、欲求を満たすことのできない不適応の状態のことをいう。

B．固着反応とは、問題解決を図ろうとして1つのことに固執することである。

C．攻撃的行動とは、怒りや敵意を向ける反応である。

D．子どもが幼児返りすることを、退行反応という。

E．不適応とは、環境や周りの人と調和した関係が保てず、心理的に不安定な状態に陥ることをいう。

[　　　]

問3 次の防衛機制に関する文章で、間違っているものを1つ選び、解答欄に記号を記入してください。

A．合理化とは、自分に都合のいいように自分を正当化したり、他の人やものに責任転嫁することをいう。

B．抑圧とは、自分が受け入れられない感情や記憶などを意識から閉め出すことをいう。

C．投影（投射）とは、現実の不安や恐怖を感じる対象ではなく、代わりの人にその感情を向けることをいう。

D．昇華とは、すぐには実現できない欲求を、社会的・文化的価値の高い活動で発散し、欲求不満を解消することをいう。

E．否認とは、自分が受け入れられない考えや感情を認めず、事実を否定したり、ねじ曲げて自分の安定を保とうとすることをいう。

[　　　]

問 4 次の防衛機制に関する説明で、間違っている組み合わせを1つ選び、解答欄に記号を記入してください。

A．置き換え　　　……本当はその子が好きなのに、意地悪をして泣かせてしまう。

B．逃避　　　　　……仕事がうまくいかないイライラをアルコールで紛らわせる。

C．補償　　　　　……勉強ができないぶん、スポーツをがんばる。

D．同一視（同一化）……アイドルに夢中になり、その人の髪型や服装をまねて自分に自信をつける。

E．攻撃　　　　　……親に怒られたうっぷんを、椅子を壊して解消する。

[　　　　]

問 5 次の文章のうち、二分割思考に関する文章ではないものを1つ選び、解答欄に記号を記入してください。

A．私がそう感じるのだから、それは本当のことだ。
B．すべての人に好かれなければならない。
C．完全か不完全かのどちらかだ。
D．よいか悪いかのどちらかだ。
E．仕事でミスをした。もう自分はだめだ。

[　　　　]

問 6 次の文章のうち、自己関連づけに関する文章を1つ選び、解答欄に記号を記入してください。

A．その問題には、私が関係している。
B．私の感じたことは、まさにそれである。
C．妹のしぐさは、私にとても似ている。

D．あなたの考え方は、私の考え方と同じだ。
E．2人が笑いながら何かをささやき合っていた。彼女たちは私の悪口を言っていたのだろう。

[　　　　　]

問7 次の文章のうち、結論の飛躍に関する文章ではないものを1つ選び、解答欄に記号を記入してください。

A．携帯電話を持っていない人は、現代を生きられない。
B．親友とうまくやっていけないのだから、もう自分には友人はできない。
C．パソコンもできない人間は、仕事なんかできない。
D．お金がないのは、自分が働かないからだ。
E．30歳まで独身だなんて、もう私は一生結婚できない。

[　　　　　]

Step 3
理解度チェック 解答と解説

問1

(1) 解答：合理化
    解説：仕事を過小評価する防衛機制です。
(2) 解答：逃避
    解説：お酒に逃げる防衛機制です。
(3) 解答：置き換え
    解説：八つ当たりによる防衛機制です。
(4) 解答：補償
    解説：得意分野で挽回しようとする防衛機制です。
(5) 解答：同一視
    解説：同じ格好をすることで自信をつけようとする防衛機制です。
(6) 解答：否認
    解説：ミスを認めないことによる防衛機制です。
(7) 解答：反動形成
    解説：正反対のことをする防衛機制です。

問2

解答：B
解説：固着反応とは、問題解決には役立たない行動をいつまでも無意味に繰り返すことです。

問3

解答：C
解説：投影（投射）とは、自分が抱いている不安や恐れなどの感情を、

他の人が抱いているかのように思い込むことです。

問4

解答：A

解説：本当は相手が好きなのに、意地悪をして泣かせてしまうのは、反動形成です。

問5

解答：A

解説：私がそう感じるのだから、それは本当のことだというのは、感情的決めつけ（または、結論の飛躍）です。

問6

解答：E

解説：A～Dは、感じたことをそのまま述べているだけであり、認知の歪みとはいえません。

問7

解答：D

解説：お金がないのは自分が働かないからだというのは、結論の飛躍ではなく、事実です。

memo

Step 4-1
カウンセリングとはどんなもの?

カウンセリングという言葉は知っていると思います。しかし、実際には、どのようなことを行うのでしょうか。また、カウンセラーは何をする人なのでしょうか。

 ## 1. カウンセリングという言葉の使われ方

　あなたはカウンセリングと聞いて、どんなイメージをもちますか。次のようなことではないでしょうか。
「ソファなどに横になって、いろいろなことを話す」
「絵を描いたり、心理テストをする」
「過去にさかのぼって、生い立ちや育った環境を分析される」
「こころに悩みを抱えていたり、何か問題がある人が受ける」
　しかし、これらは、実際にカウンセリングを受けた感想ではなく、テレビや映画などのカウンセリングのシーンを見てつくり上げたイメージではないでしょうか。実際のカウンセリングを受けると、思っていたのとはまったく違うと感じる人が多いはずです。
　最近では、カウンセリングやこころのケアという言葉が一般的に使われるようになってきました。残虐な事件が起こると、「カウンセラーが被害者のこころのケアに取り組んでいる」といった情報が、すぐに報道されます。しかし、言葉だけが一人歩きをして、実際に何が行われているのかということは、一般の人にはきちんと理解されていないようです。
　さらに混乱を招くのは、いろいろなところでカウンセリングという言葉が使われていることです。進学や就職を決めるためのキャリア（職

業）カウンセリングや留学（語学）カウンセリング、結婚相談所の結婚カウンセリング、ダイエットやエステティックのためのカウンセリングなど、数え切れません。そして、同じ心理カウンセリングでも、カウンセリングのほか、心理療法、精神療法など、さまざまな●●療法という言葉が、混同された状態で使われています。これでは、一般の人に理解しろというほうが無理なことです。

2．カウンセリングの定義

　カウンセリングと心理療法は、厳密には区別されます。カウンセリングは、人間の健康な部分に注目し、その人のこころの成長・発達を援助するものです。一方、心理療法は、こころの病的な部分を治療するものです。

　しかし、広義のカウンセリングは、就職、法律、美容、恋愛、結婚、人付き合いといった、社会・経済・私生活の各分野でのさまざまな専門的相談・援助行為をさします。このため、カウンセリングも、心理療法の１つの形態と考えられています。

　なお、心理療法と精神療法は、ほぼ同じものといえます。違いとしては、心理療法は、心理士などが行うもので、保険が適用されません。病院など医療機関で行う場合も、ほとんどが自費負担になります。精神療法は、医療機関で医師が行うなど医学的立場から行うもので、保険が適用されます。

3．カウンセラーの歴史

　こころの相談や援助などのカウンセリングをする人を、心理カウンセラーといいます。心理カウンセラーには、学問的基盤として心理学★¹の知識が必要です。

日本では、心理士、心理カウンセラー、心理相談員、心理セラピスト、心理療法士、臨床心理士などと呼ばれる職種がありますが、これまでは、国家資格のものはありませんでした。

　国家資格として、「近時の国民が抱える心の健康の問題等をめぐる状況に鑑み、心理に関する支援を要する者等の心理に関する相談、援助等の業務に従事する者の資質の向上及びその業務の適正を図るため、公認心理師の資格を定める必要がある」と公認心理師法が、平成27年9月9日に議員立法により成立し、9月16日に公布され、平成29年9月15日に施行されました。公認心理師の第1回国家試験は、平成30年中に実施される予定です。

4．カウンセラーの役割

　カウンセラーがクライエントに「こうしなさい」といった解決策を提示することは、原則、ありません。カウンセリングはアドバイスではないのです。カウンセラーは、カウンセリングを通じて、クライエントが自らに向き合い、今までとは違う新しい考え方や自分に対する洞察力が自然と生まれてくるように導く人です。

　カウンセリングが終わるときは、カウンセリングの経験を生かすことができるように、クライエントのこころが準備されることが大切です。そして、最終的に、クライエントが実生活の問題や悩みに自分自身の力で対処できるようになることが目的です。これが、側面からクライエントを支えるカウンセラーの大原則です。

（1）カウンセラーが行ってはならないこと

　カウンセラーと、心療内科・精神科・メンタルクリニックなどの精神科の医師との大きな違いとして、まず、カウンセラーは、決して医薬品を扱ってはなりません。

次に、「あなたはうつ病です」などと病名を診断するのは、医師のみに許される行為であり、カウンセラーは、メンタル疾患の診察・診断を決して行ってはなりません。

（2）カウンセラーが守らなくてはならないこと

クライエントが抱える問題は、個人情報を非常に多く含む性質のものです。その内容は、クライエントが置かれている環境や家族のこと、人間関係など、多岐にわたります。たとえクライエントの両親や夫婦などの家族に対しても、原則、クライエントの秘密を厳守します。

また、クライエントに対し、カウンセラーとクライエント以外の関係性をもたないように回避[★2]することが、カウンセリングの大前提となります。たとえば、あなたが自分の家族のカウンセリングをする場合、家族という関係から離れて、カウンセラーとクライアントという関係だけで接しなくてはならないということです。これは、かなり難しいことです。なぜなら、自分にとって近い存在であったり、大切な人であったりすればするほど、お互いが感情的になりやすいものだからです。このため、多くの場合は、既存の関係がある人をクライエントにはしないものです。さらに、カウンセリングを進めるうちに、関係が親密なるのも禁物です。特に恋愛感情が芽生えそうなときは、恋愛かカウンセリングかのどちらかをやめるべきです。

> Point!
> ・カウンセリングとは、こころの成長・発達を援助するものである。
> ・心理カウンセラーとは、心理学の学問的な基盤をもち、こころの相談や援助（ケア）をする人をいう。

用語解説
★1 心理学：臨床心理学が中心となる
★2 回避：カウンセラーはクライエントと、カウンセラーとクライエント以上の関係性（友情・恋愛感情など）をもたないようにすること、また、クライエントの家族や友人その他との直接的関係をもたないようにすること（二重関係（多重関係）の回避）

Step 4-2
心理療法（精神分析療法）の基本

本書は、心理療法という言葉を、「その人がその人らしく生きていくことを目的とする心理的援助」という意味で使っています。まず、基本的な心理療法の理論と方法として、精神分析療法を見ていきましょう。

1. 心理療法の基本となる精神分析療法

心理療法として有名なものに、まず、フロイト（Step 1-1参照）の精神分析★1があります。映画などで、クライエントがベッドに横になりながら、思いついたことを話していくといったシーンを見たことがあるでしょう。これが典型的なフロイトの精神分析（精神分析療法）であり、多くの心理療法は、確かにこの精神分析療法を出発点にしています。

2. 精神分析療法の考え方と治療方法

精神分析療法では、「さまざまな問題・症状で苦しんでいる人は、こころの中に何か大きな抑圧を抱えている」と考えます。したがって、本人が抑圧しているものに気がつけば、症状は軽減すると考えます。

治療では、こころの奥底にある、隠されたこころの傷やその原因・理由を明らかにしていきます。そして、クライエント自身が、自分のこころの深層を理解することを中心に治療が進められます。

クライエントは、カウンセラーに、自由に自分の思いついたことや見た夢をありのままに話し（**自由連想法**）、カウンセラーは、クライエント自身に必要なことを気づかせたり、クライエントに大切なことを指摘したりします。

精神分析療法には、防衛機制（Step 3-3参照）をはじめ、人間理解のための基本的な考え方が多く含まれており、多くの心理療法の基盤となっています。精神分析療法の一般的な治療法の例を紹介します。

精神分析療法の治療例

30代女性のYさんは、人の前で話すとき、緊張して赤面してしまい、言わなければならないことを忘れてしまったり、言葉が詰まったりしてしまいます。そんな自分がいやで、自分に自信をもつこともできません。

そこで、自由連想法により、Yさんのこころの奥底にあるものを引き出していきます。治療を進めるうちに、本人は忘れていたのですが、「幼稚園のお遊戯会で自分の出番のとき、母が『そんな格好してるのYちゃんだけよ。踊りも下手だし、どうしようもないわね！』と笑った」ことを思い出します。そしてそれ以来、人に笑われるのではないかと怖くなったということに気がつきます。Yさんは、母へのこだわりがいまだに尾を引いていることがわかり、少しずつこだわりを克服していくことで、しだいに人前でもあまり緊張せずに話せるようになっていきます。

典型的な精神分析療法は、時間もお金もかかるため、現在の日本ではほとんど行われていません。しかし、基本的な考え方や手法は、さまざまなところで広く取り入れられています。

- フロイトが行った精神分析療法が、心理療法の原点である。
- 精神分析療法は、自由連想法で行われる。

用語解説

★1　フロイトの精神分析：19世紀後半、フロイトは、ヒステリーの治療研究の過程で、人のこころには意識と無意識があり、無意識下に抑圧された性的欲望や願望、葛藤がヒステリー症状を引き起こすと考え、無意識下にあるものを、意識下に引き上げて明確化することが治療であるとした

Step 4-3
クライエント中心療法の基本

もう1つの心理療法の基本は、ロジャーズのクライエント（来談者）中心療法です。カウンセラーは、ひたすらクライエントの話に耳を傾ける積極的傾聴（Part 4 Step 2-1 参照）を行います。

1. クライエント中心療法の考え方と治療方法

クライエント中心療法は、「人は誰でも、自分の中に、自己を成長させ、実現する力をもっている」という人間観に基づいています。したがって、カウンセラーがクライエントの気持ちを受容し、共感的に理解すれば、クライエントは自分の力で問題解決をし、成長を遂げていくと考えます。受容とは、批判せず、ありのままを受け入れるということです。

治療では、カウンセラーは、クライエントに対し積極的傾聴を行い、アドバイスや指示は行いません。カウンセラーがありのままのクライエントを受け入れると、クライエント自身もありのままの自分を受け入れ、より深く自分の感情や態度に気づき、自分を大切にし、人からどう思われるかではなく、自分の声に耳を傾けるようになるのです。

2. カウンセラーに必要な態度条件

ロジャーズは、カウンセラーに必要な態度条件として、次の3つを挙げています。クライエント中心療法だけでなく、どのカウンセリングや心理療法にも共通して重要な態度といえます。クライエント中心療法の一般的な治療法は、次ページのとおりです。

a．自己一致

共感の言葉や反応が、うわべだけではなく、本心から発せられていることを、自己一致といいます。カウンセラーのクライエントへの応答が、そのときの気持ちに一致しているということです。

b．共感的理解

カウンセラーが、クライエント自身のように見たり、感じたり、考えたりすることを、共感的理解といいます。カウンセラーの価値判断や感情を交えずに、相手の気持ちに寄り添うことです。

c．無条件の肯定的関心

クライエントの存在、考え方や感情を、条件や評価をいっさい加えず、そのまま肯定的に受け入れることを、無条件の肯定的関心といいます。

クライエント中心療法の治療例

Step 4-2のYさんのケースで見てみましょう。

まず、積極的傾聴により、Yさんの人前に出たときの緊張感、人に見られる恥ずかしさ、うまく話せない自分への罪悪感や自己嫌悪、聞いている人への申し訳なさなどをそのまま受け止めます。そして、カウンセラーは、「そんなあなただけれど、あなたはあなたでいいんですよ」というメッセージを送り続けます。治療を進めるうちに、Yさんは、「そうか、こんな自分でもいいんだ」と思えるようになり、人前での緊張感が薄れてきます。緊張感が薄れると、人前で話すこともできるようになり、少しずつ自分への自信を取り戻していくことができます。

- ロジャーズのクライエント中心療法は、カウンセリングの中枢である。
- クライエントへの共感的な理解が、クライエント中心療法の根幹である。

Step 4-4
認知療法・行動療法の基本

さまざまな症状や問題行動の原因となっているのは認知であると考えたのが、ベック★1やエリス★2の認知療法です。また、人間の内面ではなく、外に現れる行動に着目したものが、行動療法です。

 1．認知療法の考え方と治療方法

　認知療法では、「クライエントは自分を否定的にとらえていたり、思考パターンが歪んでいるために今の状況に適応できず、問題行動や症状が起きている」と考えます。したがって、その人のものごとのとらえ方（つまり認知）や自分の感じ方の癖、思考パターンを知り、改善させることで症状が軽減されると考えます。

　治療では、カウンセラーが質問しクライエントが答えながら、一緒に問題の対処法を考えるというのが基本の形式です。カウンセラーは、ときにはクライエントに対し、宿題を出したり指示をしたりと、積極的なかかわりをもちます。

　カウンセラーとクライエントは、認知の歪み（Step 3-4参照）のような思考パターンに気づいたら、それが本当に現実的な考え方かどうかを検討します。そして、間違った考え方であるとわかったら、クライエントは、自分の考え方を修正していきます。

　認知療法の一般的な治療法の例を紹介します。

認知療法の治療例

　Step 4-2のYさんのケースで見てみましょう。

まず、人前で話すという場面で、Yさんのこころに浮かんでくる考えをはっきりとさせます。すると、「自分は皆から笑われる」「話しても絶対にわかってもらえない」という考えに縛られていることがわかります。カウンセラーは、Yさんの考えが実際に現実的な考えなのかどうか、「本当に"皆から"笑われているのか、"絶対"わかってもらえないのか」を一緒に検討します。すると、「NさんやOさんは自分のことを応援してくれて、笑ってなんかいない」「Pさんも『言いたいことはわかった』と言ってくれた」ことを思い出し、自分の考え方の歪みに気づきます。

　そこで、Yさんは、「自分は皆から笑われているわけではないし、言いたいことも伝わっている。失敗ばかりじゃない！」と、考え方の修正をします。そして、人前に立ったとき、以前の歪んだ考えが思い浮かんできたら、すかさず、「大丈夫。笑わない人もいるし、落ち着いて話せばわかってもらえる」と、自分に言い聞かせるようにします。

　日本で認知療法を受けられるところは、まだ少ないのが現状です。しかし、認知療法を行うと明示していない機関でも、カウンセラーがこの考え方を取り入れている場合もあります。

2．行動療法の考え方と治療方法

　心理療法が、人の内面にばかり着目していることへの批判から出てきたのが、行動療法です。行動療法では、「人の行動は学習によって変えることができる」と考えます。したがって、現在、さまざまな問題や症状で苦しんでいるのは、誤った学習の結果であり、正しく学習し直せば、問題や症状は軽減すると考えます。

　治療では、カウンセラーとクライエントとで面接を行い、困っていることは何か、どういうときに起きるのか、どうなりたいのかを話し合います。そして、具体的な方法を検討し、実行していきます。必要であれ

ば、カウンセラーがクライエントの生活場面に出かけることもありますし、クライエントに宿題を出したりもします。

　行動療法の手法はさまざまであり、次のようなものがあります。

（1）リラクゼーション法★3（全身弛緩法）

　たとえば、高所恐怖症の人の治療には、まず、リラクゼーション法を身につけさせます。そして、不安を感じない高さのレベルから始めて、徐々により高い場所へ行くようにします。不安を感じ始めたらすぐにリラクゼーション法を行い、自分を慣れさせていきます。これにより、段階的に高い場所への不安を克服します（**系統的脱感作法**）。

（2）オペラント技法★4（強化法）

　たとえば、子どものしつけのために、オペラント技法を用います。まず、「片づけをしたら1点」「ご飯を残さずに食べたら1点」などのように、させたい行動にプラスの点数を決めておきます。また、「けんかをしたら－3点」「時間を守れなかったら－1点」など、させたくない行動にマイナスの点数を決めておきます。そして、1週間の合計点数に応じて「10点ならゲームを1時間していい」「20点なら好きなテレビ番組を見ていい」「30点なら外食で好きなものを食べていい」などのようなごほうびを決めます。さらに、冷蔵庫などに得点表を貼っておきます。以上に沿って、しつけを実行していきます。

　行動療法の一般的な治療法の例を紹介します。

> **行動療法の治療例**
>
> 　Step 4-2のYさんのケースで見てみましょう。
> 　まず、Yさんにとって、一番緊張が低い場面から一番緊張しそうな場面まで、いくつかの段階に分けた表を作ります。低いほうから、「1対

1で話す：緊張レベル1」「知っている仲間2〜3人と話す：緊張レベル2」「見知らぬ人と1対1で話す：緊張レベル3」「5〜6人のグループの前で発表する：緊張レベル4」「10人以上のグループで発表する：緊張レベル5」といった要領です。

次に、リラクゼーション法を身につけ、緊張レベルの低いものから実践していきます。1対1で話して大丈夫であれば、次の知っている仲間2〜3人と話すステップに入ります。緊張してきたらリラクゼーション法を行い、その緊張をコントロールできたと思ったら、次のレベルに挑戦していきます。このように、緊張したらリラクゼーション法を行うことを繰り返しながら、緊張の高い場面でも普通に話すことができるように練習していきます。

（1）（2）以外にも、フラッディング法、嫌悪療法、シェイピング、行動的セルフコントロール、モデリング、SST（社会生活技能訓練）などの療法があります。

行動療法は、きちんとした訓練を受けていないと、なかなか治療に用いることができません。日本では、施設や人材が不足していること、時間と費用がかかることなどのため、本格的に行われることは難しい状況です。しかし、カウンセラーがこの方法を取り入れている場合もあります。

Point!
・認知の歪みを修正するのが、認知療法である。
・行動療法は、新たな学習（行動）をすることで、現在の状況を改善していく療法である。

用語解説
★1 ベック：アーロン・ベック。アメリカの医学者、精神科医で、認知療法の創始者
★2 エリス：アルバート・エリス。アメリカの臨床心理学者。論理療法（RT；Rational Therapy）の創始者
★3 リラクゼーション法：全身を弛緩させてリラックスさせると、こころも弛緩してリラックスできるという考えに基づいた運動法
★4 オペラント技法：オペラント条件づけ（Step 1-5参照）の原理により、点数に応じたごほうびをあげることで、クライエントにとって望ましい行動を強化し、行動変容をめざす方法

Step 4-5
森田療法・その他の療法の基本

日本独自の心理療法では、1920年ごろ森田正馬[★1]が考案した森田療法[★2]と呼ばれるものがあります。治療対象には、神経症、不安神経症、対人恐怖症などがあります。

1. 森田療法の考え方と治療方法

　森田療法では、「悩みや問題を抱えるのは、人間として自然なことであり、それも自分自身の一部であることを受け止め、考え方や感じ方を変える」と考えます。したがって、問題の解決や症状の軽減が目的なのではなく、問題や症状を正面から受け止めて生きるという考え方ができるよう、クライエントを導きます。治療対象は、「こころのからくりによって起きる、慢性化した精神的・身体的な症状（神経症、不安神経症、対人恐怖症など）」です。

　神経症を患っているクライエントは、症状を取り除こうとして意識してしまい、かえって症状を助長します。

　たとえば、電車に乗ったとき、動悸がしてパニックになったとします。次に電車に乗ろうとすると、「また、パニックが起きてしまうのでは……」と思い、電車に乗れなくなるという悪循環にはまっていきます。そこで、クライエントの不安感はそのままにしておいて、「仕事に行かなければならない」「もっと明るい気持ちで生活したい」など、本人を前進させる力（生への欲望）を原動力として、行動を変えていくのです。

　治療には、入院と外来の2種類があります。

　入院治療は、重症度に応じて2～6か月の期間が必要です。最初の1

～２週間程度は、何もせず部屋の中で安静にする**絶対臥褥期**を過ごします。するとやがて、退屈し活動したいという本来のエネルギーを感じるようになります。その後、作業（スポーツ、掃除、農作業など）をしたり、日記を書くなどをとおして、気持ちをあるがままに受け入れ、よりよく生きる方法を身につけます。

外来治療では、日記をとおして、自身の不安に対して逃げたり避けたりせずに、不安に慣れる状況がつくられるように指導していきます。

森田療法の一般的な治療法の例を紹介します。

> **森田療法の治療例**
>
> 　Step 4-2のYさんのケースで見てみましょう。
> 　まず、緊張したり言葉に詰まったりしてしまうのは、ごく普通のことで、治そうとしないこと、自分はそういう人間なのだと認めることから始まります。それでも、人前に立たなければならない状況は起きるため、そのときに、「緊張してもいいから精一杯やる」「言葉に詰まりながらでも、自分の言わなければならないことを言う」という考え方に変えていきます。

いくつかの病院では森田療法を取り入れ、森田療法を専門としているところがあります。ほとんどの場合が入院であるため、お金や時間に余裕のある人でないと難しいかもしれません。

２．その他の心理療法の考え方と治療方法

（１）交流分析

自己分析により、他者との人間関係を自分でコントロールできるようになることを目的とした心理療法です。人のこころには、親・大人・子

どもの3つがあると考えられ、その理論をもとにつくられたのが、**エゴグラム**という心理テストです。交流分析では、3つのこころのバランスが保たれていることが大切と考えます。

　交流分析のワークショップや研修会などは、日本各地で行われています。また、学生相談室などで交流分析を行っている場合もあります。しかし、心理療法として交流分析を受けられる施設は、あまりないのが現状です。

（2）プレイセラピー

　カウンセラーとクライエント（子ども）が、面接室で、おもちゃや遊具を使って一緒に遊びながら関係を結び、治療を行っていく方法です。対象は、3～12歳ぐらいの子どもです。遊びをとおして、クライエントを受け止め、その子が自分の感情や気持ちを自由に解放し、自分自身で問題解決をしていけるように支えます。

　児童相談所をはじめ、子どもの相談を専門的に行っているところは、プレイセラピーの施設をもっているところも少なくありません。しかし、設備やプレイセラピーの内容は、施設によってかなり違います。

（3）箱庭療法

　プレイセラピーの1つです。砂の入った浅い箱に、建物、動物、植物、人間の模型を好きなように配置することで、クライエントのこころの世界を表現する心理療法です。子どもだけでなく、大人に対しても行われます。

　箱庭の設備を整えているところも増えてはいますが、多くはありません。

（4）芸術療法

　絵画や粘土の造型、写真や雑誌の切り抜き、布を貼りつける手法（コ

ラージュ）などをとおして自己を表現する心理療法です。自分に気づき、自己理解を深めるためのものです。

芸術療法を行ったり、解釈して治療に役立てるためには、訓練が必要です。治療者によってさまざまな形で取り入れられ、部分的に使われています。また、芸術療法を標榜している専門機関もあります。

（5）家族療法

個人ではなく、その人を含む家族全体をクライエントとして治療を進めていく方法です。家族をひとつのシステムととらえ、家族の関係調整を行ったり、家族特有のコミュニケーションのパターンや問題解決の方法を修正したり、改善したりします。

家族療法を行う治療者や専門機関も増えてはいますが、日本ではまだあまり知られていません。また、家族全員が治療に来ることが前提であり、時間的な制約があること、それなりの規模の施設が必要なこと、個人の心理療法と比べて高くなってしまうなどの難点もあります。なお、家族療法を行っている機関は、ほとんどの場合、難点があることを明記しています。

（1）～（5）以外にも、ゲシュタルト療法、論理療法、内観療法、催眠療法など、さまざまな療法があります。

> **Point!**
> ・森田療法は、悩みは人間として自然なことであると考え、問題の受け止め方を変えていくという、日本独自の療法である。
> ・交流分析なども、心理療法の1つである。

【用語解説】

★1　森田正馬：森田療法を創始した医学者、精神科神経科医
★2　森田療法：人間には自然治癒力があり、神経症の根底には執着の悪循環があると考え、個人のもつ自然治癒力を高め、悪循環を断ち切ることを目的とした心理療法

Step 4-6

心理療法の留意点

気をつけなければならないのは、1つの心理療法が絶対ではないということです。Step 4-2のYさんを見てもわかるように、心理療法によって考え方も違えば、カウンセラーのかかわり方・治療法もまったく違います。

 ## 1. 1つの心理療法が「絶対」ではない

　どの心理療法がよいかというのは、問題や症状の性質、クライエントの年齢や性格、周りの環境などによって違います。したがって、この心理療法でなければならないなどと、あまり固執しないほうがいいでしょう。むしろ、カウンセラーとクライエントとの相性や、安心してこころを開ける環境であるかのほうが大切です。

　カウンセラーによっては、ある心理療法の専門家で、それ以外の心理療法は行わないという人もいます。しかし、同じクライエントに対して、いくつかの心理療法を併用することも一般的に行われています。一番大切なことは、どの心理療法がよいかではなく、その心理療法がクライエントの役に立っているかどうかです。

 ## 2. カウンセラーに期待されること

　カウンセリングは、クライエントが、話すことですっきりすることが大切です。初めの数回は、カウンセラーは、とにかく話を聴き、クライエントが抱えている本当の問題を整理することに集中します。カウンセラーには、次のようなことが期待されます。
「指摘することが的を射ていて、心理学的な知識を状況に応じて実際に

使用できる内容である」
「こころの病の背景と理論を、わかりやすく説明できる」
「クライエントの感情を、うまく引き出してくれると感じさせられる」
「共感的な態度で接してくれて、話しやすい」
「カウンセリングを受けるたびに気持ちが楽になる」
「カウンセリングが楽しくて、次回が待ち遠しくなる」
「やわらかい雰囲気で落ち着く」

　そして、本当の問題が明らかになってきたら、心理療法を用います。カウンセリングでは、すぐには問題も明らかにはなりませんし、答えも出しません。カウンセラーは、クライエントを治すのではなく、クライエントと一緒に歩んで行くという意識をもつ必要があります。クライエントがその人らしく生きていくために、自分を見つめ直させることに集中すれば、しだいによい結果が出てくるようになります。

3. 声に出して話すこと、それを聴くことの大切さ

　高齢者が過去の思い出を語り合う回想法★1という心理療法があります。認知症高齢者にも豊かな情動をもたらしたり、自尊感情を高めたりでき有効であると注目されています。「声に出して話す」こと、それを「聴く」相手がいることが、良い効果をもたらすと考えられています。良いコミュニケーションは、こころの安定への第一歩です。

　心理療法に絶対なものはなく、クライエントにあったものを選ぶ。

用語解説

★1　回想法：アメリカの精神科医ロバート・バトラーが提唱した心理療法

Step 4 理解度チェック

問 1 次の文章で正しいものには○を、間違っているものには×を解答欄に記入してください。

[ ]（1）精神分析療法では、問題の原因を親子関係にあると考える。

[ ]（2）精神分析療法の治療では、横になったクライエントに話をさせる自由連想法などが行われる。

[ ]（3）精神分析療法には、「カウンセラーの基本的態度」など、心理療法の基礎が含まれている。

[ ]（4）クライエント中心療法は、エリスが提唱したものである。

[ ]（5）クライエント中心療法の中心的な考え方は、人は外部からの的確な指示によって成長するというものである。

[ ]（6）クライエント中心療法の考え方は古く、現在ではあまり注目されていない。

[ ]（7）認知療法では、問題は自己否定感や思考パターン、認知の歪みから起きると考える。

[ ]（8）認知療法の治療では、認知の歪みを知るために心理テストが多用される。

[ ]（9）行動療法では、問題の原因は誤った学習の結果であると考える。

[ ]（10）高所恐怖症への行動療法では、オペラント技法が多用される。

[ ]（11）森田療法では、問題に意識を集中させ、意思を強くもてば、問題は解決すると考える。

[ ]（12）森田療法は、入院でなければ治療を受けられない。

問2 カウンセラーに必要な態度条件は何ですか。解答欄に3つ記入してください。

[　　　　　　　　　　　　　]
[　　　　　　　　　　　　　]
[　　　　　　　　　　　　　]

問3 次の手法を用いる心理療法は何ですか。解答欄に記入してください。

（1）積極的傾聴　　　　[　　　　　　　　]
（2）自由連想法　　　　[　　　　　　　　]
（3）コラージュ法　　　[　　　　　　　　]
（4）系統的脱感作法　　[　　　　　　　　]
（5）エゴグラム　　　　[　　　　　　　　]
（6）日記　　　　　　　[　　　　　　　　]

Step 4
理解度チェック 解答と解説

問 1

(1) 解答：×
　　解説：問題の原因は、こころの中にある大きな抑圧と考えます。
(2) 解答：○
(3) 解答：×
　　解説：「カウンセラーの基本的態度」はロジャーズが提唱したものです。フロイトの精神分析療法は、医者対患者といった「クライエントの心理分析」にのみ注目するものです。
(4) 解答：×
　　解説：クライエント中心療法は、ロジャーズが提唱したものです。
(5) 解答：×
　　解説：クライエント中心療法の中心的な考え方は、人は自己を成長させ実現する力をもっているというものです。
(6) 解答：×
　　解説：クライエント中心療法は、現在でも、心理療法の基礎として広く用いられています。
(7) 解答：○
(8) 解答：×
　　解説：認知の歪みを知るために心理テストが利用されることは、ほとんどありません。
(9) 解答：○
(10) 解答：×
　　解説：高所恐怖症への行動療法では、系統的脱感作法が多用されます。

（11）**解答**：×

解説：森田療法の治療では、悩みや問題をありのまま受け止め、考え方そのものを変えることを行います。

（12）**解答**：×

解説：森田療法の治療は、外来で行われることもあります。

問 2

解答：自己一致　　共感的理解　　無条件の肯定的関心

問 3

（1）**解答**：クライエント中心療法

（2）**解答**：精神分析療法

（3）**解答**：芸術療法

（4）**解答**：行動療法

（5）**解答**：交流分析

（6）**解答**：森田療法

memo

Part 2

こころの健康って、何だろう？

――精神医学の基本を知ろう――

Step 1-1
精神医学とは
どんなもの？

精神医学とは、人間のこころの病（メンタル疾患）を扱う医学です。Part 2 では、精神医学の基本を学んでいきます。少し難しい用語が出てきますが、慣れ親しんでおきましょう。

1．心理学への誤解

　Part 1 では、こころの機能とは何かを学びました。こころの機能とは、脳のはたらきそのものであることが理解できたと思います。したがって、こころの病（メンタル疾患）とは、脳という臓器の機能不全に原因があるということも理解できると思います。

　お腹が痛くなったり、風邪をひいたりすると、病院で治療してもらうのは通常のことです。治療に行くことを不思議に思う人はいませんし、「早く病院に行ったら」と勧められもします。しかし、メンタル疾患となると、病院に行くのは特殊なことと感じるようです。さらに、メンタル疾患にかかるのは、「たるんでいるから」「根性が足りないから」などと非難されがちです。ここに、大きな偏見と誤解があるのです。

　お腹が痛ければ内科に行き、けがをすれば外科に行くように、メンタル疾患にも専門家による適切な治療が必要です。Part 2では、専門家による適切な治療を受診させるために、カウンセラーや周囲の身近な人は何をしなければならないのかを学びます。

2．総合判断で決められる「正常」と「異常」

　「あなたのこころは健康ですか」と聞かれて、明快に答えられる人は少

ないのではないでしょうか。そもそも、こころの健康とは、どのような状態をいうのでしょうか。

世界保健機関（WHO）★1は、「健康とは、病気ではないとか、弱っていないということではなく、肉体的にも、精神的にも、そして社会的にも、すべてが満たされた状態にあること」としています。つまり、真の健康とは、こころの健康も含み、身体面・心理面・社会面のすべての健康によって支えられているといえます（図12）。

●図12　健康である状態

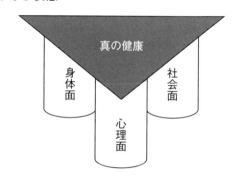

身体面の病は、病院の検査によって、異常があるかないかを客観的に把握することができます。ところが、心理面の病は、客観的な基準が乏しいため、正常（健康）と異常（病気）の境目がわかりにくいといえます。心理面における正常と異常を区別するうえで注意すべきことは、1つの基準だけでなく、個人の特性や、置かれた状況・環境に照らし合わせて、総合的に判断する必要があるということです。

判断基準がいくつかあると、基準の違いによって正常と異常の境目があいまいになります。それ以前に、価値観の多様化が進んでいる現代社会では、基準を定めにくくなっているといえます。このため、正常と異常を区別することは、非常に難しいものです。

また、正常か異常かにこだわり過ぎてもよくありません。本人にとっ

て日常生活で問題となっていることは何か、本当に解決すべき問題は何かを明らかにしていく、という視点が大切です。

それでは、精神科医は、何を決め手としてメンタル疾患を診断するのでしょうか。まず、メンタル疾患として定められている症状が出ていることのほか、その症状によって、次の①②のうちどちらか1つがみられることを条件としています。

---

①著しい自覚的な苦痛がある。
②社会的・職業的に機能の障害を引き起こしている。

メンタル疾患は、まず、上記の2点に焦点を当てると判断しやすくなります。たとえば、悩みごとがたくさんあって落ち込んでいても、それほど強い自覚的な苦痛を伴わず、生活にも支障をきたしていないのであれば、メンタル疾患ではなく、人が日常生活で遭遇する正常範囲の情緒反応★2であると考えられるわけです。

 3．精神の機能と精神症状

こころの機能は、大変複雑なものです。しかし、いくつかの重要なポイントに絞って理解していけば、その全体像を明確にとらえることができます。Step 1では、メンタル疾患（精神医学）を勉強するため、「こころ」を「精神」と呼ぶこととします。

精神医学では、精神機能を、「知」「情」「意」の大きく3つに分けて考える方法があります。

・知……知覚、思考、記憶、知能など知的な機能全般
・情……感情
・意……意欲

● **図13　精神の構造**

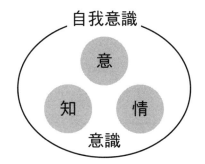

さらに、知・情・意の基盤には、**意識**があり、知・情・意・意識をすべてまとめる**自我意識**があります（**図13**）。

精神面に出てくる病的な状態を、精神症状といい、知・情・意それぞれに、さまざまな精神症状がみられます。

Point!
- こころの病は、脳という臓器の不調が原因である。
- 何らかの「症状」によって、①著しい自覚的な苦痛がある、②社会的・職業的に機能の障害を引き起こしていることから判断する。
- 精神の機能は、「知」「情」「意」に大別できる。
- メンタル疾患により精神に異常が出るときは、知・情・意それぞれに症状が現れる。

用語解説

★1　世界保健機関（WHO）：1948年に設立した保健衛生分野の国際的な専門機関
★2　正常範囲の情緒反応：人が日常的にもつ感情、つまり、高揚感、上機嫌、喜び、驚き、怒り、不安、落胆、悲しみ、嘆き、憂うつ、絶望などをいい、人間の生物的機能を支える重要なものである

Step 1-2

「知」の機能の精神症状

こころの機能の異常には、どのようなものがあるのでしょうか。正常と異常をどのように見分けたらいいのでしょうか。こころのさまざまな異常を掘り下げていきます。

 1．知覚の異常

Part 1 Step 1-3でも学習しましたが、私たちは、刺激を、視覚、聴覚、嗅覚、味覚、触覚など、感覚器をとおして感じています。そして、得られた感覚を判断したり解釈したりして、刺激を認知しています。この一連のはたらきを知覚といいます。メンタル疾患では、いろいろな種類の知覚の異常がみられます。

実際にあるものを誤って別なものと認識することを、錯覚といいます（Part 1 Step 1-4参照）。一方、実際には存在しないものが見えたり聞こえたりすることを、**幻覚**といいます。幻覚の改善には、薬物療法が用いられます。幻覚のうち、人の声が聞こえる**幻聴**は、主に統合失調症[★1]でみられます。また、覚せい剤中毒やアルコール依存症でもみられます。幻聴は、「殺す」「ばか」「死ね」などの被害的あるいは命令的な内容のほか、「きれいだね」「がんばれよ」などの肯定的な内容のものもあります。また、視覚の幻覚を**幻視**といい、意識障害[★2]があるときや、覚せい剤中毒、アルコール依存症、レビー小体型認知症などでみられます。

 2．思考の異常

思考とは、まとまりをもった概念を思い浮かべたり、判断や理解を

もって問題を分析・解決したりする一連の高度な精神活動です。思考の異常は、思考形式・思考内容・思考体験様式の異常に大別されます。

（1）思考形式の異常

　思考の流れやプロセス（過程）に異常をきたすことを、思考形式の異常といいます。次のようなものがあります。

a．思考制止

　考える速度が非常に遅くなり、判断や理解も大変遅くなることを、思考制止といいます。抑うつ気分が強いときや、うつ病にみられます。このため、うつ病の場合、返答に時間がかかったり、決断が遅くなったりします。

b．観念奔逸（ほんいつ）

　思考制止とは反対に、考える速度が速すぎて、本来の目的からすぐに外れてしまうことを、観念奔逸といいます。主に躁病（そう）でみられます。思考の空回り、散漫な思考から、収拾がつかなくなります。躁病では、決断や行動が速くなりますが、慎重さを欠き、内容は非現実的なものとなります。

c．滅裂思考

　互いに関係のないことをばらばらと思いつくようになることを、滅裂思考といいます。統合失調症では、思考を統合する機能が損なわれやすいため、まとまりのない支離滅裂な考えをするようになります。滅裂思考の軽度のものを、**連合弛緩**（しかん）といいます。思考の関連づけ（連合）が緩んだ状態（弛緩）で、話のまとまりの悪さとなって現れます。

d．思考途絶

　思考が突然停止したようになったり、考えていることが突然抜き取られたように感じたりすることを、思考途絶といいます。統合失調症でみられ、話したり考えたりしているときに、突然、その内容を忘れてしまうこともあります。

e．迂遠(うえん)

　話が回りくどく、要領を得ず、瑣末(さまつ)な部分にこだわって結論に達しないような状態を、迂遠といいます。てんかんや脳血管障害が発病した後によくみられます。また、自分の考えに固執する傾向（我執傾向）が強いときにもみられます。

（2）思考内容の異常

　訂正不能な誤った思考内容を、**妄想**といいます。統合失調症やうつ病、躁病、認知症の行動・心理症状（BPSD）でもみられます。妄想に対して、現実的な理由を根拠に誤りだと説得しても訂正されることはなく、改善させるには、薬物療法が用いられます。

　a．妄想気分

　周りの世界を不気味に感じ、不自然で様変わりしたように感じることを、妄想気分といいます。理由もなく怖くなり、世界が破滅すると感じることもあります（世界没落体験）。

　b．妄想知覚

　見聞きしたものに対して、意味のない関連づけをすることを、妄想知覚といいます。たとえば、ドアが音を立てて閉められたことを、「死ねという合図だ」などと確信してしまいます。

　c．妄想着想

　突然、非現実的な考えを思いつくことを、妄想着想といいます。たとえば、「自分はキリストの生まれ変わりだ」など根拠もなく確信してしまいます。

　d．被害妄想

　自分が被害を受けるという内容の妄想を、被害妄想といいます。「財布を盗まれた」というもの盗られ妄想は、アルツハイマー型認知症でよくみられます。

　e．関係妄想

客観的な根拠がないのに、特定の人やものが自分と関係があるという内容の妄想を、関係妄想といいます。

f．微小妄想

自分は取るに足らない人間であると確信する内容の妄想を、微小妄想といいます。なお、経済的に破滅すると確信する**貧困妄想**、健康なのに自分は大病を患っていると確信する**心気妄想**、自分は罪深い人間であると確信する**罪業妄想**の3つは、うつ病の3大妄想といわれています。

g．誇大妄想

自己を過大評価する内容の妄想を、誇大妄想といいます。躁病や統合失調症でみられ、現実的な裏づけもなく、自分は皇族の血筋であると確信する**血統妄想**、相手は自分を愛していると確信する**恋愛妄想**などがあります。

（3）思考体験様式の異常

自分が自分である感覚や自分の思考をコントロールする感覚が失われることを、思考体験様式の異常といいます。自我意識の異常（Step 1-4参照）として、**離人体験、させられ体験、強迫思考**などが現れます。

3．記憶の異常

●図14　記憶のプロセス

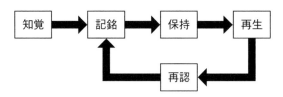

Part 1 Step 1-5でも述べたとおり、記憶は、大きく4段階のプロセ

スに分かれます（図14）。

この4段階のプロセスのどこかに異常をきたした状態を、**記憶障害**といいます。

a．認知症

認知症では、主に記銘に障害をきたします（**記銘力障害**）。昔のことは比較的よく覚えているのに、最近のことが覚えられないのが特徴です。

b．健忘

健忘とは、過去の一定期間のことを思い出せない（再生できない）状態をいいます。頭部外傷や薬物などで意識障害を起こし、それより前のことを再生できない状態を、**逆向性健忘**といい、それより後のことを再生できない状態を、**前向性健忘**といいます。また、あまりに衝撃的なできごとのために思い出せないなど、心理的な原因で再生できない状態を**心因性健忘**といいます。そして、日常生活は問題がなくても、自分の過去や名前などが思い出せない状態を**全生活史健忘**といいます。

c．再認の錯誤

初めてなのに以前に見たことがあるように感じるものを、**既視感（デジャヴュ）**といいます。デジャヴュは、再認の錯誤です。また、見慣れているはずのありふれた情景などを初めて見るように感じるものを、**未視感（ジャメヴュ）**といいます。デジャヴュやジャメヴュは、正常者でも体験するものです。また、統合失調症の初期やてんかんの発作を起こす前にも体験するといわれています。

d．コルサコフ症候群

記銘障害、健忘、見当識障害、作話から成る健忘症候群のことを、コルサコフ症候群といいます。アルコールによる精神病のコルサコフ精神病で特に顕著にみられるために、コルサコフ症候群と呼ばれています。

見当識障害とは、今が何年何月何日であるか、現在いる場所がどこであるかなどが、文字どおり見当がつかない障害です。認知症、精神遅滞、幻覚や妄想が現れている状態や、意識障害などでも現れます。救命隊員

などが名前・現在の場所、日時などを聞くのは、見当識障害の有無を調べるためです。作話とは、思いつきのいい加減な話（作り話）を本当のことのように話すことで、「嘘をついて相手をだまそう」という意図のないものです。作話は、コルサコフ症候群の最も代表的な症状です。

4．知能の異常

知能とは、推論、考察、理解、学習、思考などの複合的な能力であり、課題を解決する思考能力と定義できます。知能の異常は、障害された時期によって大きく次の2つに分けられます。

a．精神遅滞（知的障害）

知能の発達が障害された状態を、精神遅滞といいます。精神遅滞は、出生時や生後早期に何らかの脳障害を受けたときにみられます。知能の程度は、知能指数（IQ）★3で表され、精神遅滞の程度は、IQに応じて次のように分けられます。

> IQ 0～19：最重度, IQ 20～34：重度, IQ 35～49：中等度, IQ 50～69：軽度

b．認知障害（認知症）

いったん正常に発達した認知機能が、後天的な脳障害で持続的に低下し、社会生活に支障をきたした状態を、認知症といいます。

「知」の機能の異常には、知覚の異常・思考の異常・記憶の異常・知能の異常がある。

用語解説
- ★1　統合失調症：精神的な機能の統合性に障害をきたしている症状
- ★2　意識障害：知覚、思考、情動など、精神活動全般の障害
- ★3　知能指数（IQ）：Intelligence Quotient. 知能検査の結果の代表的な指数

Step 1-3

「情」の機能の精神症状

感情は、人間にとって重要な機能ですが、メンタル疾患によって、しばしば異常をきたします。本項では、「情」の機能の精神症状を見ていきます。

1.「情」の機能の精神症状とは

　感情のなかでも、比較的長く持続するものを、**気分**と呼びます。また、持続が短く、ある体験などに反応して起こる感情の変化のことを、**情動**と呼びます。感情に異常をきたすメンタル疾患を、**感情障害**といい、うつ病と躁病が代表的なものです。

（1）感情障害の種類
　悲しくて憂うつな感情のことを、抑うつ気分といい、抑うつ気分が持続している状態を、**うつ状態**といいます。抑うつ気分は、うつ病の典型症状です。反対に、爽快で陽気な感情のことを、**爽快気分**といい、爽快気分が持続している状態を、**躁状態**といいます。ただ何となく上機嫌で訳もなく明るい状態を、**多幸**といい、認知症などでみられます。また、子どもっぽく些細なことで大笑いする状態を、**児戯的爽快**といいます。

（2）感情の調節障害
　些細なことでひどく激怒したり大泣きしたりして、感情がコントロールできない状態を、**感情失禁**といい脳血管性認知症で特徴的にみられます。また、些細なことに過敏に反応して、怒りっぽくなる状態を、**易刺激性**といいます。

2．感情の異常と正常の見分け方

感情の異常と正常を見分けるポイントは、次のとおりです。

a．感情が一定の範囲に収まっているか

いくら気分が落ち込んでいても、通常は、「生きる価値がないから、死んでしまおう」とは思いません。しかし、病的なうつ状態では、真剣に死を考えます。自分には価値がない、将来がない、消えてしまいたいなどと考えるときは、病的なうつ状態に陥っている可能性が高いです。

b．現実的な理由があり、理由が解決すれば正常に戻るか

その感情を抱くにふさわしい現実的な理由があり、誰もが納得する理由があって悲しいのであれば、正常な情動反応です。また、その理由が解決すれば、感情も正常範囲内に戻ります。うつ病では、落ち込む理由がないのに必要以上に抑うつ気分を感じるため、病的といえます。

 ## 3．情動の障害

徐々に喜怒哀楽がみられなくなることを、**感情鈍麻（感情の平板化）**といいます。統合失調症の慢性期のほか、老年期認知症や精神遅滞（Step 1-2参照）でもみられます。また、人間的な共感や愛情などの感情に乏しいことを、**情性欠如**といい、冷酷非道な犯罪の引き金になることもあります。予期しないショッキングな体験の直後は、情動の反応が極端に鈍くなることを、**情動麻痺**といいます。同一の対象について反対の感情を同時にもつことを、**両価性（アンビバレンツ）**といいます。

- 感情のなかでも比較的長く続くものを気分という。
- 持続の短い感情や体験などに反応して起こる感情の変化を情動という。
- 感情の異常の代表的なものにうつ病の抑うつ気分がある。

Step 1-4

「意」の機能の精神症状

普段、ほとんど自覚することのない「意欲」「意識」「自我意識」にも、メンタル疾患により異常が起こることがあります。本項では、「意」の機能の精神症状を見ていきます。

1. 意欲の異常

生命や生活の維持に必要な行動をするように、内からかり立てる力を**欲動**といいます。また、欲動を能動的にコントロールする力を、**意志**といいます。そして、意志と欲動を合わせたものを、意欲と呼びます。

意欲の異常には、次のようなものがあります。

a. 無為
意欲が減少すると、自発性や活動性が低下します。自らは何もしなくなった状態を、無為といいます。

b. 昏迷
極端に意欲が低下して、外部からの刺激に反応しなくなった状態を、昏迷といいます。昏迷は、意識はあるのに反応できない状態です。

c. 興奮
意欲が高まり、興奮状態となったものを、**躁病性興奮**（または**緊張病性興奮★¹**）といいます。躁病性興奮は、躁病でみられ、多弁、多動、浪費、食欲亢進、性欲亢進などがみられます。なお、じっとしていられず、次から次へと何かしなくてはいられない状態を、**行為心迫**といいます。

d. 食欲異常
ごみや便を食べる**異食症**（ピカ）があります。ピカ（pica）とはラテ

ン語でカササギのことで、この鳥が何でも口に入れることから名づけられました。認知症の行動・心理症状（BPSD）で出現することがあります。

e．性欲異常

フェチシズム、露出狂、サディズム、マゾヒズムなどがあり、**性倒錯（性欲倒錯）** と呼ばれます。

2．意識の異常

外部からの刺激を受け入れ、外部に反応できる機能を、意識といいます。目覚めているときは、意識がある状態ですが、意識のレベルには段階があります。通常に意識がある状態を、**意識清明**といいます。

幻覚を見ているなど、意識はあっても質的に正常とはいえない状態を、**意識障害**といいます。意識障害には、意識の量的な異常・意識の質的な異常・自我意識の異常があります。

（1）意識の量的な異常

まず、意識の量的な異常として、**意識混濁**があります。意識混濁は、覚醒度や意識水準の低下ということもできます。程度によって、軽いものから順に、昏蒙→傾眠→昏眠→昏睡と呼びます。昏睡は、意識がまったくない状態、あるいは、ほとんどない状態です。

（2）意識の質的な異常

量的な異常に加えて質的な異常を伴っているものを、**意識変容**といいます。主な意識変容として、次のものがあります。

a．もうろう状態

意識がはっきりしない状態を、もうろう状態といいます。不安、不穏、易怒性（怒りっぽいこと）、錯覚などを伴うことがあります。夢を

見ているようなもうろう状態として、**夢幻状態**があります。

b．せん妄

　意識がはっきりしない状態に、興奮、明らかな幻覚、強い困惑、錯乱、異常行動などを伴うものを、せん妄といいます。手術後や夜間に悪化することが多く、術後せん妄、夜間せん妄と呼ばれます。高齢者に出現しやすく、認知症に伴うことも多いです。軽いせん妄として、**アメンチア**があります。

（3）自我意識の異常

　自我意識とは、文字どおり、自分に関する意識です。通常、意識は自分の外に向かうもので、自分が自分であることの意識（自我意識）は、普段はほとんどしていません。しかし、メンタル疾患では、その自我意識にも異常をきたすことがあります。

a．離人感

　自分が自分ではない感じや、現実感が乏しい感じを、離人感といいます。そして、自分が見ているものやしていることが現実でないような感じが続く状態を、離人症といいます。離人感や離人症は、さまざまなメンタル疾患でみられます。

b．させられ体験

　自分が自分以外の何かに操られていると感じることを、させられ体験（**作為体験**）といいます。自分の思考が頭から抜き取られると感じる**思考奪取**、誰かの思考が頭に吹き込まれると感じる**思考吹入**、思考が他人に伝わってしまうと感じる**思考伝播**などがあります。

c．強迫観念

　自分の思考ではあっても、勝手に頭に思い浮かんでしまって、それを打ち消せない観念を、強迫観念といい、強迫神経症などでみられます。

> **Point!**
> 「意」の機能の異常には、意欲の異常・意識の異常・自我意識の異常がある。

Column 04　高齢者の心理と高齢者との接し方①

　私のかかわっている高齢者の女性が、あるとき次のようなことを言いました。
「『ふるさと』という歌をよく歌わされるの。『兎追いし、かの山。小鮒釣りし、かの川』…年をとるとね、こんな歌もしみじみといい歌だと思うものですよ。でもこの前、ふと、『兎追いし』が『兎老いし』に聞こえたの。それ以来、私のように、よたよたとしたウサギが枯れ山にいる姿が浮かぶのよ」その女性は無邪気に笑って話していましたが、このエピソードから、高齢者の心理のさまざまな面がうかがい知れました。

　高齢社会となった日本では、心理カウンセラーの仕事も高齢者とかかわることが多くなってきました。また、高齢者ケアも盛んに行われ、高齢者ケアに従事する人や、要支援・要介護の高齢者を抱えている家族など、高齢者と接している人へのカウンセリングも非常に多くなっています。

　高齢者は高齢者独自の心理状態をもっており、高齢者ケアやカウンセリングの場面での接し方にも、次のようなコツがあります（詳しくは、Column 05で紹介します）。

- 後ろから声を掛けない
- 名前で呼ぶ
- こころにゆとりをもつ
- 言語的コミュニケーションを行う
- 脳に刺激を与える
- 転倒・骨折をさせないように見守る

用語解説

★1　緊張病性興奮：急に意味不明のことを大声で叫ぶ、暴れる、物を壊すなどの症状

Step 1-5
脳波からわかる脳の状態

脳の活動状況を知る方法に脳波検査があります。脳波検査では、意識のレベルを見たり、眠りの質を見たりします。脳波により、多くのことがわかります。

1. 脳の異常の検査方法

　脳の活動を、波のような形（波形）で表わすことによって、脳の異常について調べるものを、脳波検査といいます。電極を頭に付けて、各電極間の電位差を波形として表わします。1秒間に出る波の回数を**周波数**といい、Hz（ヘルツ）で示します。脳波は、**図15**のように、周波数によって5段階に分けられます。

●図15　脳波の種類

種類	特徴	周波数	
δ波（デルタ波）	周波数が最も遅い脳波である。δ波は、無意識の状態をもたらすといわれている。	～3Hz	徐波
θ波（シータ波）	瞑想状態やまどろみの状態で出る。記憶は、θ波が出ているときに蓄積されるといわれている。	4～7Hz	
α波（アルファ波）	脳波の主体になる周波数の脳波である。	8～13Hz	
β波（ベータ波）	開眼状態のときや精神的活動が高まったときに出る。	14～30Hz	速波
γ波（ガンマ波）	集中力などを増加させる脳波である。γ波は、脳の認知機能に関係し、高い精神機能をもたらすといわれている。	30Hz超	

ゆっくりとした波を徐波、速い波を速波といい、寝ているときは徐波、起きているときは速波、起きていても目を閉じて安静にしているときはα波が出ます。

　中間の速さ（8〜13Hz）のα波は、人を安静にさせ、リラックスさせる脳波といわれています。「癒し」がキーワードになっている昨今では、α波という言葉を耳にすることも多くなりました。しかし、α波は特別なものではなく、正常な脳であれば、目を閉じてリラックスしていれば出てくる脳波です。反対に、目を閉じていても、いらいらしていたり、暗算などで脳を活発に使用しているとき（精神作業をしているとき）はα波が出にくくなり、代わりにβ波が出てきます。つまり、α波は意識して出すものではなく、自然に出るものなのです。

2．脳波検査の目的

　脳波検査（EEG：electroencephalogram）は、現在では、主にてんかんの診断に用いられます。てんかんでは、棘波（スパイク）という、とげのようにとがった波がみられます。

　また、脳波で意識のレベルをみることができます。意識清明（Step 1-4参照）のときは速波が中心だったのが、意識混濁（Step 1-4参照）になってくると徐波が増えてきます。脳死状態では、脳波の波は消えて平らになります。

　なお、検査結果を導き出すために、脳波異常がより顕著に現れる状態をつくる検査方法を、**脳波賦活法**といいます。速いピッチでの呼吸を3〜4分間行ったり、ストロボのような光の点滅を当てたり、睡眠をとらせるなどの方法があります。

3. 睡眠と脳波の関係

（1）睡眠の段階

睡眠の深さも、脳波で知ることができます。眠りが深いほど徐波が増える傾向がみられます。

睡眠は、**図16**のように、睡眠中の脳波によって第1～第4段階およびREM[*1]睡眠の5つに分けられます。

● **図16　睡眠の深さ**

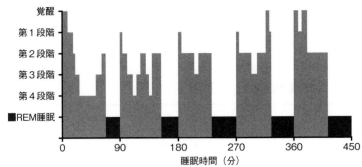

出典：サーカディアン・テクノロジーズ・ジャパン「夜の睡眠リズム」

REM睡眠とは、急速眼球運動（REM）を伴う睡眠のことでのことで、身体は眠っているのに脳が起きている状態です。第1～第4段階は、REM睡眠に対してnon-REM睡眠と呼ばれます。

第1～第4段階は、睡眠の深さにより、一番浅いものが第1段階、一番深いものが第4段階となります。第1段階は入眠期で、α波が少なくなります。第2段階は軽眠期で、振幅の高い瘤のような形の瘤波（hump）と13Hzの紡錘波（spindle）が表れます。第3段階は中等睡眠期で、徐波が中心となります。また、4段階は深睡眠期で、徐波のなかでも特に遅いδ波が半分以上を占めます。

（2）睡眠のサイクル

正常な睡眠では、最初にnon-REM睡眠が出現し、約90分後にREM睡眠に入ります（図16）。そしてその後も、non-REM睡眠とREM睡眠の約90分ずつのサイクルを3～4回繰り返して覚醒します。REM睡眠は、朝になるにつれて徐々に出現しやすくなり、かつ、長くなります。

また、第3～第4段階の深い睡眠は、睡眠の前半で出ることが知られています（図16）。夢を見たり、中途覚醒したりするのは、REM睡眠のときが多いといわれています。

（3）加齢と睡眠

一般に、加齢にともない、不眠を訴えることが多くなります。高齢者の睡眠パターンは、若年者に比べて、non-REM睡眠のうち、深い段階のものが減り、浅い段階のものが増える傾向があります。眠りは浅くなり、REM睡眠も減少し、中途覚醒も増え、睡眠の質は低下します。

加齢に伴い睡眠時間は短くなりますが、必要な睡眠時間には個人差があります。何時間眠ったかという量ではなく、熟睡できたかという質が重要です。

また、いつもと違う睡眠には、専門的治療を要する病気が隠れていることもあり、注意します。

> Point!
> ・脳波は、主にてんかんの診断に用いられる。
> ・脳波検査では、意識のレベルを見ることができる。
> ・良質な睡眠は、約90分の脳波サイクルが3～4回繰り返されて覚醒する。

用語解説

★1　REM：Rapid Eye Movement（急速眼球運動）の略。REM睡眠は、約90分間隔で訪れ、その間に夢を見ていることが多いとされる。REM睡眠時には、まぶたは閉じているが眼球が激しく左右に動いており、身体は眠っているが脳は起きている状態である

Step 1-6
性格とこころの病（メンタル疾患）は関連するか？

性格を形成する要素はさまざまです。そして、性格には、こころの病やその他の身体疾患と結びつくものもあります。どのような性格がどのような病にかかりやすいのかを見ていきます。

 1．性格とは何か

性格には、気質、人格などいくつか類似した言葉がありますが、厳密な違いはありません。一般的には、次のように分けられます（Part 1 Step 2-2参照）。

- 性格……最も幅広く、個人の反応や行動にみられるもの
- 気質……やや先天的な感情面にみられるもの
- 人格……社会的あるいは道徳的要素を含めたもので、周囲の環境に影響されやすく、変わりやすいもの

 2．性格とこころの病

（1）クレッチマーによる性格と体型の分類

クレッチマーは、性格と体型およびメンタル疾患との3つの間に、一定の関係のあることを指摘しました（Part 1 Step 2-2参照）。
分裂気質（細長型）は統合失調症と関連が深く、**躁うつ気質**（肥満型）は双極性障害（躁うつ病）と関連が深いとしています。また、**粘着気質**（闘士型）は、てんかん質とも呼ばれ、傾向がさらに強度になった

ものを、てんかん病質といいます。

（2）うつ病・双極性障害（躁うつ病）の病前性格

うつ病や双極性障害（躁うつ病）になりやすい性格として、次が挙げられます。

ａ．執着性格

仕事熱心、凝り性、徹底的、几帳面、生真面目、責任感が強いなどは、執着性格と呼ばれ、うつ病になりやすい性格と考えられています。

ｂ．メランコリー型性格

執着性格に類似していますが、特に、秩序にこだわり、他人に献身的に尽くし過度に良心的で、些細な失敗で強い罪悪感を抱くなどは、メランコリー型性格と呼ばれ、うつ病になりやすい性格と考えられています。

（3）タイプＡ性格

1950年の中頃、サンフランシスコ（アメリカ）で、心臓学者であるマイヤー・フリードマンとレイ・ローゼンマンは、心筋梗塞のかかりやすさと本人の性格・行動の関係に検討を加え、心臓病にかかりやすいものとして、タイプＡという性格を規定しました。タイプＡ性格の特徴は、次のとおりです。

・非常に競争的で野心的である。

・早口であり、他人の話をしばしばさえぎる。

・敵意を燃やしたり、怒ったりすることが異常に多い。

Point!
・うつ病や双極性障害（躁うつ病）になりやすい性格は、熱心、真面目、責任感が強いなどである。
・野心家・早口・怒りっぽい性格は、タイプＡと呼ばれ、心臓病にかかりやすいといわれている。

Step 1
理解度チェック

問 1 次の文章の［　］に当てはまるものとして、最も適切な語句を解答欄に記入してください。

　世界保健機関（WHO）によれば、「健康とは、病気ではないとか、弱っていないということではなく、［　①　］的にも、［　②　］的にも、そして［　③　］的にも、すべてが満たされた状態にあること」と定義される。

①［　　　　　　］　②［　　　　　　　］　③［　　　　　　］

問 2 次の文章の［　］に当てはまる語句として、下記の語群から、最も適切なものを選び解答欄に記入してください。

　精神面における［　①　］と異常を区別するうえで注意すべきことは、1つの［　②　］だけで決めずに、個人の［　③　］やおかれた状況や［　④　］に照らし合わせて、［　⑤　］に判断するということである。

①［　　　　　　］　②［　　　　　　　］　③［　　　　　　］
④［　　　　　　］　⑤［　　　　　　　］

【語群】
　　　環境　　正常　　情報　　基準　　総合的　　具体的　　特性

問 3 次の文章で正しいものには○を、間違っているものには×を解答欄に記入してください。

［　　］（1）精神の機能は大きく「知」「情」「意」に分けられ、「情」とは意欲のことをいう。

［　　］（2）精神面にみられる病的な症状を精神症状という。

[ ]（3）自分に対する意識を無意識という。
[ ]（4）錯覚とは、実際には存在しないものが見えたり聞こえたりすることである。
[ ]（5）人がいないのに悪口などの声が聞こえてくる精神症状を幻聴という。
[ ]（6）執着性格は、うつ病になりやすいといわれる。

問4 次の障害は、どのようなメンタル疾患でよくみられるものでしょうか。下記の語群から、最も適切なものを選び解答欄に記入してください。

（1）思考制止　［　　　］
（2）観念奔逸（ほんいつ）　［　　　］
（3）滅裂思考　［　　　］
（4）迂遠（うえん）　［　　　］

【語群】
　　てんかん　　うつ病　　躁病（そう）　　統合失調症

問5 次の記憶に関する文章の［　　］に当てはまる語句として、下記の語群から、最も適切なものを選び解答欄に記入してください。

　記憶には大きく分けて4段階のプロセスがあり、順に［　①　］、［　②　］、［　③　］、［　④　］となる。これらのどこかに障害を受けると、［　⑤　］とされる。

①［　　　　　］　②［　　　　　］　③［　　　　　］
④［　　　　　］　⑤［　　　　　］

【語群】
　　再認　消去　記銘　記憶喪失　再生　記憶障害　保持

問6 次の文章で正しいものには○を、間違っているものには×を解答欄に記入してください。

[　]（1）認知症であっても、つい最近のことは覚えている。

[　]（2）認知症の場合、昔のことも最近のことと同じように忘れてしまう。

[　]（3）過去の一定期間のことを思い出せないことを健忘という。

[　]（4）既視感（デジャヴュ）は、記憶を思い出すプロセスの錯誤である。

[　]（5）記銘障害、見当識障害、健忘、作話からなる症候群をコルサコフ症候群という。

問7 次の感情の異常に関する文章で正しいものには○を、間違っているものには×を解答欄に記入してください。

[　]（1）うつ病では、しばしば感情失禁がみられる。

[　]（2）躁病では、爽快感（そうかい）、上機嫌などがみられる。

[　]（3）認知症で、特に理由もなく微笑んでいる状態を多幸という。

[　]（4）統合失調症では、感情の異常はあまりみられない。

[　]（5）うつ病は、悲しんでいる理由が解決すればよくなることが多い。

問8 次の意欲の異常に関する文章で正しいものには○を、間違っているものには×を解答欄に記入してください。

[　]（1）意欲が減退して、自ら何もしようとしない状態を無為という。

[　]（2）躁病や統合失調症では、昏迷（こんめい）がみられることがある。

[　]（3）昏迷には意識障害を伴う。

[　]（4）行為心迫とは、無力になり何もできなくなることである。

問9　次の自我障害に関する文章で正しいものには○を、間違っているものには×を解答欄に記入してください。

[　]（1）自分が自分でない感じや現実感が乏しい感じを作為体験という。

[　]（2）自分が自分でないと感じる症状は、統合失調症にのみみられる。

[　]（3）何かに操られていると感じる症状は、統合失調症に特徴的にみられる。

[　]（4）自分の考えが抜き取られたと感じる症状は、統合失調症に特徴的にみられる。

[　]（5）強迫観念は、統合失調症に特徴的にみられる。

[　]（6）考えが人に伝わってしまうと感じる症状は、うつ病でみられる。

問10　次の性格・気質のなかで、双極性障害（躁うつ病）と関係がないものを1つ選び、解答欄に記号を記入してください。

A．メランコリー型性格
B．粘着気質
C．執着性格
D．躁うつ気質

[　　　　]

Step 1
理解度チェック 解答と解説

問 1
解答:①肉体　②精神　③社会

問 2
解答:①正常　②基準　③特性　④環境　⑤総合的

問 3
(1) 解答:×
　　解説:「情」とは感情のことで、意欲は「意」です。
(2) 解答:○
(3) 解答:×
　　解説:自分に対する意識を自我意識といいます。
(4) 解答:×
　　解説:錯覚とは、実際にあるものを誤って別のものと認識することです。存在しないものが見えたり聞こえたりするのは幻覚です。
(5) 解答:○
(6) 解答:○

問 4
解答:(1) うつ病　(2) 躁病　(3) 統合失調症　(4) てんかん

問 5
解答:①記銘　②保持　③再生　④再認　⑤記憶障害

問 6

(1) **解答**：×
　　解説：認知症の場合、最近のことを忘れてしまいます。
(2) **解答**：×
　　解説：認知症の場合、たとえば、朝食を食べたことを忘れてしまうが、昔の自分の職業のことはよく覚えているなど、昔のことは比較的よく覚えていることが多いです。
(3) **解答**：○
(4) **解答**：×
　　解説：既視感（デジャヴュ）は、覚えたことを確認するプロセス（再認）の錯誤です。
(5) **解答**：○

問 7

(1) **解答**：×
　　解説：うつ病では、抑うつ気分と意欲の低下がみられます。感情失禁は脳血管性認知症でよくみられます。
(2) **解答**：○
(3) **解答**：○
(4) **解答**：×
　　解説：統合失調症では、喜怒哀楽が少なくなるという感情鈍麻・感情の平板化がみられます。
(5) **解答**：×
　　解説：うつ病の抑うつ気分は、理由がないのに気分が落ち込むことが特徴です。

問 8

(1) **解答**：○

（2）解答：×

解説：昏迷は、重度のうつ病（うつ病性昏迷）、統合失調症の緊張型（緊張病性昏迷）でみられ、躁病ではみられません。

（3）解答：×

解説：昏迷は、意欲や発動性が極度に低下したため外部からの刺激に反応できないという、意欲の異常です。

（4）解答：×

解説：行為心迫は、意欲が異常に亢進して行動せずにはいられない状態をいい、躁病でみられます。

問9

（1）解答：×

解説：自分が自分でない感じや現実感が乏しい感じを離人感といいます。

（2）解答：×

解説：自分が自分でないと感じる症状は、統合失調症だけではなく、さまざまなメンタル疾患でみられる症状です。

（3）解答：○

（4）解答：○

（5）解答：×

解説：強迫観念は、統合失調症でみられることはありますが、主に強迫神経症の症状です。

（6）解答：×

解説：考えが人に伝わってしまうと感じる症状は、主に統合失調症でみられるものです。

問10

解答：B

解説：粘着気質は、てんかんと関係が深く、固執、我執、尊大、鈍重などの特徴があります。

> ### Column 05　高齢者の心理と高齢者との接し方②
>
> ●後ろから声を掛けない
> 　高齢者に必要なものは安心感です。後ろから声をかけるとたいていの人は驚いてしまいます。正面から、その人の目を見て話すようにしましょう。
>
> ●名前で呼ぶ
> 「おじいちゃん」「おばあちゃん」と呼ぶのは禁物です。「●●さん」と呼び掛けることで、呼ばれる人も敬意を感じ、こころを開きやすくなります。
>
> ●こころにゆとりをもつ
> 　こころにゆとりがない状況で高齢者に接すると、いらいらして、つい怒り調子になってしまいます。これでは相手のこころを閉ざしてしまいます。相手の話に付き合えるこころのゆとりが大切です。
>
> ●言語的コミュニケーション（Part 4 Step1-5参照）を行う
> 　言葉を選び、言葉ではっきりと伝えて、相手からの言葉も理解できるまで聴くことです。必要なことは、紙に書いてもいいでしょう。
>
> ●脳に刺激を与える
> 　したいことや興味があることを話したり、実際に行ったりすることは、脳に刺激を与え、気分転換やストレスの発散にもなります。不思議なことに、脳に刺激を与えることで、免疫力も上がり、病気や認知症の予防にもつながるといわれています。
>
> ●転倒・骨折をさせないように見守る
> 　高齢者は、私たちには何でもない段差や、立ち上がる・座るなどの動作でも、転倒して骨折する危険性があります。転倒が原因で、寝たきりになる人が大変多いことも知っておきましょう。

Step 2-1
精神科医が行う面接（問診）

精神科の医師がどのような面接（問診）を行っているか、カウンセリングの知識の一環として知っておく必要があります。本項では、精神科の医師が行う面接について見ていきましょう。

 ## 1. 信頼関係を築く

"治療同盟"という言葉があります。患者を苦しめているメンタル疾患に対して、医者と患者が共同戦線を張って臨もうとすることをいいます。同盟というのですから、しっかりとした信頼関係があることが前提です。

信頼関係を築くには、医師は、一方的に治療方針を示さずに、患者の言い分を十分に聴こうとすることが大切です。この姿勢は、その後の治療経過を左右するといってもよいでしょう。互いに協力し合うことで、治療効果をより高めることができるのです。

しかし、同時に、内科などの診察と同様に、メンタル疾患に関連する患者の情報を、客観的かつ正確に聴取することが重要です。以下に、精神科医が患者の話を聴くために行う面接について、基本的な手順を説明します。

 ## 2. 精神科での面接の手順

（1）導入

まず始めに、受診した動機から確認します。自分の意思で来たのか、誰かに勧められたのかなどによって、患者の置かれている状況を知るこ

とができます。そして、受診を決意した患者の勇気をたたえ、敬意を払います。

（2）主訴

主訴とは、本人が抱えている問題の核心です。「なぜ受診するに至ったか」「何に困っているのか」「何をよくしたいのか」などを確認します。主訴は、できるかぎり本人の言葉どおりに記録します。

（3）現病歴

現病歴とは、主訴について、その問題がいつ頃からどのように起こってきたかという歴史のことです。現病歴を、なるべく時系列に沿って、詳細に聴いていきます。また、問題が起こる以前の生活はどのようなものであったか、その問題が起こったことで、生活にどのような変化が起こったかについても聴いていきます。

一見、主訴には直接関係のないようなことも、主訴が本人の人生のなかでどのような意味をもつのか、心理的・精神的な意味づけや、意味づけにまつわるできごとなども、治療に役立ちます。また、主訴以外に、本人が気づいていない症状がある場合も多いのです。たとえば、「趣味などが、楽しめなくなっていませんか」「休日は、ごろごろしていることが多くなっていませんか」など、主訴以外に、本人が抱えている問題を明らかにしていきます。

（4）症状の重症度

主訴や主訴以外で本人が困っていることがわかったら、それらによって仕事や生活にどの程度支障をきたしているかを尋ねます。

（5）その他の質問

関連事項として、生育歴、家族歴、既往歴、性格、睡眠の状況、食欲

の有無、嗜好品などについて尋ねます。そして、出生時の障害、発育状態、登校状況・就業状況、学業成績、友人との関係、結婚生活の状況、常用薬物の有無など、メンタル疾患やストレスと関連のある情報を得ていきます。

(6) 治療への導入

本人が治療を希望していれば、もう少し詳しく、治療に期待する内容について質問します。「このような効果のある薬がありますが、しばらく飲んでみますか」「この問題点（たとえば、「朝起きることが非常につらくなった……」などの本人の主訴）について、いろいろと話し合っていきませんか」「ご家族の方を呼んで、あなたの状態を理解してもらえるように、一緒に説明しましょうか」など、治療へ期待する内容を、本人のなかでも明確にしていきます。

3．面接の注意点

否定的な意見や一方的な解釈は控えます。何でも話せる雰囲気づくりを重視します。患者の気持ちに共感的な態度を示し、受診に至ったプロセスを聴くよう努めます。

a．病識がないことが多い点に注意する

メンタル疾患では、本人に、自分がメンタル疾患であるという自覚や病気の認識（病識）がないことが多いです。たとえば、職場でミスが増えたり、学業の成績が下がったりなどして周囲が困っていても、本人はそれほど困っていない場合もあります。このときは、特に、家族や上司・同僚からの情報が重要となります。ただし、周囲の情報はうのみにせず、人間関係や立場からとらえていく必要があります。

b．本人が困っていることにも注意する

本人に病識がなく周囲の勧めなどによって精神科を訪れた場合でも、

通常、何かしら本人なりに困っていることがあるものです。たとえば、「周囲の人との人間関係がうまくいっていない」「病気ではないと思うが、身体がすっきりせずに調子が悪い」「どうも眠りが浅く、朝起きるのがつらい」などです。

本人が困っていることが、たとえ周囲が困っていることとは違っていても、本人が同意できる問題点について相談に乗る姿勢を示します。大切なことは、本人が、ここに通えば自分がよくなっていくという希望をもてることです。

 ## 4．現在の精神状態（現症）のとらえ方

主訴や病歴を聴きながら、同時に、意識障害、感情障害、見当識障害などがないかどうかも把握していきます。面接では、本人の語る内容だけでなく、表情、態度、しぐさなどから多くの情報が得られます。まず、目つきや視線などを観察します。「目は口ほどにものを言う」というように、不安そうな目つきや不信感に満ちた視線などから、大きな情報を得ることができます。そして、表情や態度などからも、不安感、抑うつ感、焦燥感、爽快感（そうかい）など、さまざまなことがわかります。

つまり、話の内容以前に、表情や態度など非言語的コミュニケーション★1から多くのことが読み取れます。

> **Point!**
> ・精神科医は、診療の前提として、患者との信頼関係を築く。
> ・精神科を訪れた動機、主訴、病歴、それらを話す表情や態度から、症状に関する情報を得る。

用語解説
★1　非言語的コミュニケーション：言葉以外の手段を用いたコミュニケーション（Part 4 Step 1-5参照）

Step 2-2

心理検査とはどんなもの？

目に見えないこころの病を、目に見えるように工夫したものが心理検査です。本項では、検査の方法と、検査の結果からわかることについて学習しましょう。

 1．心理検査の基本

メンタル疾患は、身体に明確に症状が現れる病気とは違って、病の程度を数値で表すのは難しいことです。

そこで、つかみどころのないこころの状態を、できるかぎり客観的に見えるようにするために、数々の心理検査が考案されています。ただし、心理検査でわかることには限界があるため、補助的手段として利用されます。心理検査だけで、異常と判断したり、メンタル疾患を診断したりすることは不可能です。しかし、補足的に利用すれば、面接では得られない貴重な情報を得ることができます。

心理検査には、知能検査、人格検査・性格検査、精神作業能力検査などがあります。以下に、実際によく用いられている検査について解説します。

 2．知能検査の基本

知能を総合的に測定する検査を知能検査といい、知能指数（IQ）（Step 1-2参照）で示されます。

a．ウエクスラー式成人知能検査（WAIS）

成人（16歳以上）を対象とし、日本で最も広く用いられている検査です。

言語性検査と動作性検査があり、言語性IQ・動作性IQ・総合IQが個々に求められることが特徴です。言語性IQは、一般的知識、一般的理解、算数問題、単語問題などによって算出します。動作性IQは、絵画完成、絵画配列、積木問題、組合せ問題などによって算出します。
　なお、5〜15歳には、**ウエクスラー児童用知能検査（WISC）** が用いられます。

b．田中・ビネー式知能検査

　主に児童を対象とした知能検査です。年齢尺度で構成されているため、子どもの発達レベルを理解するのに役立ち、知能水準や発達状態を明らかにするものです。検査の結果から、知能障害の診断および指導に役立たせることができます。

c．改訂長谷川式簡易知能評価スケール

　日本で開発された検査で、認知症のスクリーニング（判別）検査として広く用いられています。30点満点で20点以下の場合、「認知症の疑いあり」と判定されます。簡易知能評価とあるように、重症度の認知症判定には用いません。
　改訂長谷川式簡易知能評価スケールは比較的簡便であり、少し練習すれば誰でも行うことができます。しかし、日付や簡単な引き算など、わかるのが当たり前のようなことを尋ねるため、実施するときは相手に失礼にならないような配慮が必要です。

3．人格検査の基本

　性格の特徴を測定する検査を人格検査といい、質問紙法と投影法があります。

（1）質問紙法

　質問紙法は、一般のアンケートのように質問紙を用いて、「●●です

か」という質問に対する回答を、数量的に評価する方法です。多数を対象とすることが可能で、結果を統計的に処理しやすいという利点があります。

しかし、答える人が意図的に回答を操作できるため、検査を受ける場面や受ける人の態度によって、結果が歪められる可能性があります。自分を必要以上に好ましく、あるいは悪く見せようとしたりと、状況によって回答に偏り（バイアス）が生じるため、結果を解釈するときに注意が必要です。

a．CMI；Cornell medical index（コーネル健康調査表）

精神的症状と身体的症状について、自覚症状を質問することによって、心身全般の訴えを把握し、心身症や神経症の傾向の有無を判定します。質問数は、男性211問、女性213問から成ります。

b．MMPI；Minnesota multiphasic personality inventory（ミネソタ多面人格目録）

質問数は、550問と膨大ですが、人格の多種多様な側面を測定することができます。心気症、抑うつ性、ヒステリー、偏執性、精神衰弱性、精神分裂性、軽躁性などの10の臨床尺度を導き出すことができます。

MMPIの最大の特徴は、先に述べたような質問紙法の欠点を補う工夫がなされている点です。質問のなかには、あいまいな回答、嘘の回答、妥当性のない回答なども多数含まれており、回答の内容によって検査自体の信頼性を評価することができるようになっています。

・あいまいな回答……「どちらともいえない」という回答

・嘘の回答……「その日のうちにすべきことを翌日まで延ばすことがある」「ときどき人のうわさをする」などに対し、「当てはまらない」という回答

・妥当性のない回答……正常の人は20％以下しか選ばない回答

つまり、いい加減に答えていたり、実際より自分をよく見せようとするといった受ける人の態度も測定できるのです。

c．矢田部ギルフォード性格検査（Y-G テスト）

日常の行動や態度に関する120の質問から構成される性格（人格）検査であり、簡易に行うことができます。

d．その他の検査

上記 a ～ c のほかに、MAS（テイラー不安検査）、SDS（自己評価抑うつ尺度）、MPI（モーズレイ性格検査）[1]などがあります。

（2）投影法

投影とは、自分ではあまり意識されていない心理が、別の形になって表れることをいいます。投影法は、ロールシャッハテストに代表され、自分で意識しない心理的側面が反映されることが特徴です。

何を聞かれているのかがわからないので、答える人に、質問紙法のような意図的に回答をするなどの操作がしにくくなっています。しかし、質問紙法と比べると結果を数量化することが難しく、検査や評価をする人にも熟練した技術が求められます。

a．ロールシャッハテスト（Rorschach test）

10枚のインクの染みによる左右対称のカードを順番に見て、模様のどの部分が何に見えたか、なぜそう見えたかなどについて回答します。カードのうち、5枚はカラー、5枚は白黒です。統合失調症の診断や治療効果の判定などをはじめ、臨床的に幅広い場面で利用されています。

b．TAT（主題統覚テスト）

統覚とは、認知したものを解釈する心のはたらきのことをいいます。TATでは、人物が登場する意味ありげな場面が描かれた図版を見て、空想を働かせて自由に物語を作成します。物語には、必ず結末をつけます。決まった評価方法はありませんが、物語をとおして、本人の無意識の願望、欲求、葛藤、自己像などについて知ることができます。

c．SCT（文章完成法テスト）

「私はよく、人から●●」など、書きかけの未完成な文章に、自由に書き足して文章を完成させます。TATと同様に、決まった評価方法はなく、結果を数値化しない検査ですが、本人の性格傾向、養育環境、コンプレックス、人生観、社会生活などについて知ることができます。

4．精神作業能力検査

1桁の数字の連続加算を行い、作業の様子から、本人の作業の特徴や活動性などを判定する**内田クレペリン精神作業検査**[★2]があります。

内田クレペリン精神作業検査では、最初にがんばるか（初頭努力）、休憩によって回復するか（休憩効果）、作業ペースが安定しているか（曲線の動揺）などを評価することによって、ケアレスミスの有無、気持ちの切り替え、持続力、集中力などについての情報を得ることができます。

Point!
- 心理検査には、知能検査、人格検査・性格検査、精神作業検査などがある。
- 心理検査は、つかみどころのないこころの状態を、できる限り客観的に把握する方法の1つである。

用語解説

[★1] MPI（モーズレイ性格検査）：内向・外向性および神経症的傾向を測定する検査
[★2] 内田クレペリン精神作業検査：ドイツの精神科医エミール・クレペリンが発見した作業曲線をもとに、日本の精神科医内田勇三郎が開発した検査

Column 06　恋愛成就の秘訣(ひけつ)

　心理カウンセラーの仕事をしていると、恋愛に関する悩みにも多く出会います。恋愛相談に来る人は、30歳手前から40歳くらいまでの女性が圧倒的に多いです。この年齢の人は、社会的にも恋愛においても、すでにそれなりの経験を積んでいるはずです。しかし、彼女たちは、恋愛に成功しない原因がわからずにカウンセリングに来るのです。彼女たちは、「結婚したいのにできない」「過去の恋愛がトラウマになってうまくいかない」「生まれ育った家庭環境に問題があって恋愛に自信がない」「だめな人とばかりと恋愛してしまう」などと言います。それぞれにつらい経験やさまざまな問題があり、一様に「私なんて……」という自信喪失に陥ってしまっています。「自信をもつ」こととは、「身の丈(たけ)の自分」を知っているということです。自分をわかっていることにより、必要以上に自分をつくろったり、背伸びしたり、また、卑下したりすることがなくなります。

　そうすると、自分を大切にしながら、相手の感情を思いやることができるようになります。さらに、自分にも相手にも心地よい環境をつくれているかの気づかいができるようになります。周りとのかかわりのなかで、自分らしさについて、周りの評価が客観的に受け止められるようになります。実はそれが、恋愛を成就させることにもつながるのです。人には愛される能力があります。愛される能力を発揮するためには、自分の価値に気づかなければなりません。

　現在、多くの人が、恋愛だけでなく人間関係や過重なストレスで自信を喪失しています。やがてそれがうつ病などのメンタル疾患にもつながっていく恐れもあります。自信のない人が生きづらい現代こそ、自分の価値に気づき、自信を取り戻す手助けをすることが、心理カウンセラーの使命だと感じています。

Step 2-3
こころの病(メンタル疾患)の治療法

こころの病はどのように治療すべきなのでしょうか。本項では、精神科で行っている治療の種類と、そのうちの1つである精神療法について紹介します。

1. メンタル疾患の3大治療法

　メンタル疾患の治療は、世界的な患者数の増加に伴い、ここ20年でめざましい進歩を遂げています。その結果、多くのメンタル疾患が、内科など身体の病気とほぼ同様に、適切な治療を受けられるようになっています。

　メンタル疾患の治療法は、精神療法、薬物療法（身体的療法）、リハビリテーション（社会復帰療法）の3つに大別できます。

　精神療法とリハビリテーションは、心理的影響を与えたり、生活環境の改善を図ることで治療効果を得る方法です。身体的療法は、薬物療法と電気けいれん療法を用います。

2. メンタル疾患の治療法の選択

　精神科では、図17のようなものを併用して、総合的な治療を行います。メンタル疾患および病状によって、どの治療法が適しているかの判断は専門医によってなされますが、本人の希望とは異なる場合もあるため、よく話し合う必要があります。たとえば、本人が「薬物はなるべく飲みたくないため、カウンセリングだけで治したい」と思っても、メンタル疾患の内容によっては、希望どおりに決定されないこともありま

す。

　精神療法は、主に神経症・心身症や双極性障害（躁うつ病）に用います。また、リハビリテーションは、主に統合失調症に対して用います。しかし、病状や重症度によって、精神療法やリハビリテーションを組み合わせて用いています。うつ病では、精神療法よりも、まず、薬物療法と十分な休養が必要です。

　さらに、薬物療法では、抗精神病薬は統合失調症、抗うつ薬[★1]はうつ病、抗躁薬[★2]は躁病、抗不安薬は神経症や心身症、睡眠薬は睡眠障害に対して用います。しかし実際には、躁病の興奮には抗精神病薬、統合失調症の不眠には睡眠薬というように、それぞれの症状によって、組み合わせて用います。

●図17　主要なメンタル疾患と中心となる治療方法

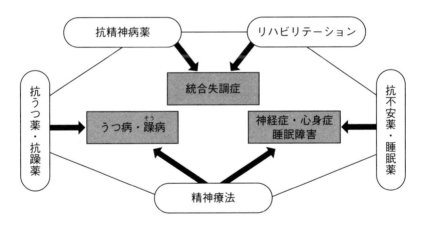

 3．精神療法の基本

　精神療法は、医師やカウンセラーが、言葉を使って患者のこころにはたらきかけ、苦痛を取り除いていく治療法です。精神療法には、一般的なものから専門的なものまで、さまざまなものがあります。しかし、専

門的であるほどよいというわけではありません。選ぶ治療法や、患者と治療者の相性も大切です。以下に、代表的な精神療法を紹介します。

（1）支持的精神療法

　支持的、共感的、受容的に接することで、不安や苦痛を軽くする治療法です。

　メンタル疾患を抱えた人は、そうでなくとも症状を苦痛に感じ、周囲から孤立しています。自分の考えを支持され、苦痛や葛藤に共感され、受容されることは、本人にとって何よりの支えとなります。そして、この支えが本人の自己治癒力を高め、治療者は、患者が自らがよくなっていくのをサポートすることになります。重要なのは、**支持、共感、受容はしても、指示、指図、解釈、指導は控える**ことです。批判や否定はマイナスにはたらきます。

（2）精神分析療法

　フロイトが発明した治療法です。Part 1 Step 4-2でも述べましたが、頭に浮かんだことを自由に話したり（自由連想法）、夢の内容を解釈したりして、無意識のなかに抑圧された葛藤を意識に上らせます。現在の症状は、小さい頃に抑圧された感情、特に性的なことに関する葛藤や不満などが原因となっていることが多いという仮説に基づいています。

　精神分析療法は、ヒステリーなどの神経症が適応症[★3]です。統合失調症などでは病状を悪化させることもあるので、治療に際して、医師は**適応症であるかをよく検討する**必要があります。なお、精神分析療法では、**図18**のような反応で、防衛機制（Part 1 Step 3-3参照）がみられることがあります。このため、精神分析は、医師によって注意深く行われる必要があります。

　図18の攻撃（行動化）は、葛藤や不満を本人なりに言語化して、言葉で表現できると、抑えられるようになるといわれています。

● **図18 防衛機制の現れ方**

種類	説明	反応の例
置き換え（転移）	両親や配偶者など、自分にとって重要な人物に対する愛情の欲求や憎しみを、精神分析の治療者に対して、無意識のうちに抱いてしまう防衛機制	両親が満たしてくれなかった愛情を、依存心として治療者に向ける。
退行	「幼児返り」することで、無意識のなかに抑圧されていた葛藤や衝動が、意識に現れやすくなることによる防衛機制	子どものような言動に、本当の自分が顔を出す（精神分析中でなくとも、日常で経験されることだが、これが顕著になる）。
攻撃（行動化）	言葉にできない葛藤や不満を、無意識のうちに破壊的な行動で表現しようとする防衛機制	治療薬を過剰に飲んだり、手首を切ったり（リストカット）する。

（3）自律訓練法

自己暗示によって心身をリラックスさせ、自己のコントロール能力を高めようとする治療法です。一種の自己催眠であり、自分で段階的に訓練していく、いわば「こころの訓練療法」です。神経症や心身症が適応症ですが、ストレスなど心身の緊張に対して広く活用できます。

（4）森田療法

森田正馬（まさたけ）が編み出した独自の治療法です（Part 1 Step 4-5参照）。神経症が適応症です。対人恐怖、赤面恐怖、不潔恐怖などの神経症は、よりよく生きようとする欲求（生への欲望）が強すぎるために、心身の症状にとらわれてしまい、さらに、症状への感覚や観念が強まってしまうこと（**精神交互作用**）が原因という考えに基づいています。

森田療法では、症状にとらわれるのではなく、症状をあるがままに受け入れることを重視します。そして、本来やるべきことができるようになることを目標とします（Part 1 Step 4-5参照）。たとえば、人前でス

ピーチをするとき、赤面恐怖症の人はあがって顔が赤くなりますが、それは誰にでも起こりうることであり、異常ではありません。それよりも、よいスピーチをするために練習をするなど、意識を違うほうに向けます。赤面することにこだわらずに、本来の目的を遂げようとすることで、結果的に症状を改善させます。

神経症になる人は、思考が内面に向かいやすいのですが、本当は、もっと外向的で積極的に活動することを望んでいます。治療の時期は、症状に思いわずらう気持ちを払拭し、欲求のままに活動を始める準備期間です。絶対臥褥期（がじょく）（Part 1 Step 4-5参照参照）の後、軽作業期、重作業期、日常生活訓練期と、段階に応じて徐々に負荷を増やし、本来のエネルギーを発揮するようにします。

対人恐怖症という概念は、日本以外ではほとんどみられないものです。したがって、森田療法は、日本人特有の精神文化に根ざした日本人向けの精神療法といえるでしょう。

（5）認知療法

認知療法では、自分の否定的な思考パターンに気づき、修正していくことで、抑うつ感や不安感を改善していく治療法です。自己卑下しやすい人や自信がない人は、抑うつ的となりやすいのですが、自己に対する認知を修正することで、抑うつ感を改善させることができます。「違う考え方」があると気づくことは、ストレスの軽減にも有効です。

（6）行動療法

行動の積み重ねのなかで行動内容を変化させ、症状を改善していく治療法です。適応症は幅広く、神経症、心身症、統合失調症、薬物依存、アルコール依存などです。上記（5）の認知療法も行動療法に含まれ、うつ病やPTSD（心的外傷後ストレス障害）★3などの治療に用いられています。

(7) 芸術療法

絵画、陶芸、音楽などの芸術活動を利用する治療法です（Part 1 Step 4-5参照）。特に、児童や思春期の人など、自分の葛藤を言語化するのが苦手な場合に有用です。

(8) 家族療法

家族関係の歪みを修正することで、本人の症状や問題を解決する治療法です（Part 1 Step 4-5参照参照）。家族の影響を受けやすい児童や思春期の人などには、特に重要な治療法です。

(9) 集団精神療法

2人以上を対象として行う治療法です。集団のなかで、相互に共感したり協力し合うことで、自分を客観的に見つめ直すことができ、自分の症状に対する洞察が得やすくなります。アルコール依存症の治療では、集団精神療法の一種である断酒会などが非常に重要視されています。

- メンタル疾患の治療法は、精神療法、薬物療法、リハビリテーションの3つに大別される。
- 代表的な精神療法は、精神分析療法、自律訓練法、森田療法である。

用語解説

★1 抗うつ薬：うつ状態の治療に用いられる薬剤
★2 抗躁薬：双極性障害（躁うつ病）の躁状態をやわらげる薬剤。最も有名なものは炭酸リチウム
★3 適応症：治療の効果が期待できる病気や症状
★4 PTSD（心的外傷後ストレス障害）：Post Traumatic Stress Disorder. こころに加えられた衝撃的な傷（トラウマ）がもととなり、その後起こるメンタル疾患。精神的不安定による不安や不眠などが継続的に起こる

Step 2-4
薬物療法（身体的療法）の基本と電気けいれん療法

こころの病（メンタル疾患）は、脳という臓器の不調のために起こるものです。精神科の治療に用いる薬物は、脳に作用して症状を緩和・改善していきます。

 1．薬物療法の種類

　脳の中枢神経系に作用し、精神機能の治療に用いられる薬物全般を、**向精神薬**といいます。抗精神病薬、精神安定剤、睡眠薬、抗うつ薬など、すべて向精神薬に含まれます。主な向精神薬の使用時と効果（薬理作用）・副作用[★1]および注意点は、以下のとおりです。

（1）抗精神病薬
　抗精神病薬は、強力精神安定剤（メジャートランキライザー）、神経遮断薬と呼ばれています。
①使用時と効果
　統合失調症、躁病のほか、重症のうつ病、重症の不眠症、せん妄、覚せい剤中毒など、幻覚妄想、興奮、不穏、錯乱、強度の不安感、衝動行為といった精神症状の改善と鎮静のために用います。最近の抗精神病薬のなかには、統合失調症の感情鈍麻や無為（Step 1-4参照）などの陰性症状にも効果が期待できるものがあります。
　統合失調症は、脳内の**ドーパミン**などの神経伝達物質が過剰なために起きると考えられます。抗精神病薬は、神経伝達物質の作用をブロックすることで、幻覚や妄想に効果を示します。
　抗精神病薬は、薬物依存を起こしにくく、血圧や呼吸にも影響が少な

いため、一般に安全性が高い薬物です。

②副作用と注意点

　神経伝達物質の作用がブロックされるため、パーキンソン症候群[★2]やアカシジア[★3]、口渇、便秘、排尿障害、尿閉、眠気など、さまざまな副作用が起きます。長期的には、顔面・口・あごなどが意思とは無関係に動く症状（遅発性ジスキネジア）が出現します。

　また、最近の抗精神病薬は、体重増加や血糖値の上昇や糖尿病などの副作用があるものもあります。まれな副作用として、悪性症候群があります。悪性症候群では、38度以上の高熱、意識障害、筋肉の硬直（開口障害、嚥下困難、無動）、発汗、頻脈などがみられ、死に至ることもあります。採血検査をすると、クレアチンキナーゼという酵素の値が、著しく上昇していることが特徴です。

　統合失調症では、抗精神病薬を長期的に内服する必要があります。このため、副作用については常に主治医と話し合い、治療薬の変更や副作用を防止する薬物の利用など、適切な対応をすることが大切です。

（2）睡眠薬

①使用時と効果

　睡眠障害を起こすメンタル疾患全般に使用します。ベンゾジアゼピン系、非ベンゾジアゼピン系、オレキシン受容体拮抗薬、メラトニン受容体作動薬などに分類されます。ベンゾジアゼピン系の薬剤は、依存性の問題などから最近はあまり推奨されていません。

　作用が続く時間によって、超短時間型、短時間型、中間型、長時間型に分類されます。不眠のタイプ（入眠困難、中途覚醒、早朝覚醒、熟眠障害）によって使い分けます。幻覚、妄想、興奮、強い不安などに伴う不眠に対しては、抗精神病薬を用います。

②副作用と注意点

　翌日まで眠気やふらつきが残ったり（**持ち越し効果**）、健忘などの副

作用があります。特に高齢者の場合、副作用である筋弛緩作用が起きると転倒の原因となるため、注意が必要です。

睡眠薬を連用後に、急に中断すると反動で不眠になります（**反跳性不眠**）。中止するときは、徐々に薬の量を減らすようにします。

（3）抗不安薬

抗不安薬は、緩和精神安定剤（マイナートランキライザー）と呼ばれています。

①使用時と効果

主に、ベンゾジアゼピン系薬剤を用います。不安感、緊張感、不眠などの改善のために使用します。神経症・心身症・うつ病（抗不安作用）、睡眠障害（催眠作用）、てんかん（抗けいれん作用）に使用します。また、筋弛緩作用を利用して、腰痛、肩こり、頭痛などの治療にも用います。

脳内GABA★4という抑制性神経伝達物質を増強させることで、不安や緊張を改善させます。

②副作用と注意点

催眠作用や筋弛緩作用のため、眠気、ふらつき、脱力などの副作用が起きます。薬物は繰り返し使用すると、効果が低下することがあります。これを、**耐性**といいます。抗不安薬は、耐性が形成されにくいですが、長期連用すると、依存症となることがあります。

緑内障と重症筋無力症の場合は、絶対に使用してはなりません。

（4）抗うつ薬

①使用時と効果

抑うつ気分、意欲低下などの抑うつ症状の改善のために用います。抑うつ症状を起こすメンタル疾患全般に使用します。また、強迫神経症、パニック障害、PTSDにも用いられます。主に、SSRI（選択的セロトニン再取り込み阻害薬）、SNRI（セロトニン・ノルアドレナリン再取り

込み阻害薬）などの薬物を使用します。

　うつ病は、脳内のセロトニン、ノルアドレナリンなどの神経伝達物質の不足によって起きると考えられます。抗うつ薬は、神経伝達物質を増やすことで、抑うつ症状に効果を示します。なお、抗うつ薬の種類による基本的な抗うつ作用には、大きな差はないと考えられています。抗うつ薬（SSRI、SNRI）は、不安感や緊張感にも効果があります。

②副作用と注意点
　SSRIとSNRIは、吐き気や食欲低下などの胃腸症状が現れやすいといわれています。

　抗うつ薬の効果は、服用後1〜4週間経ってから現れます。反対に、効果がないと判断するためには、4週間十分な量を使用する必要があります。すぐに症状が改善しなくても、服用を続けることが大切です。

（5）抗躁薬
①使用時と効果
　躁病の治療に使用します。主に、炭酸リチウムと抗てんかん薬（カルバマゼピン、バルプロ酸ナトリウム）を用います。その際、炭酸リチウムは、血中濃度を測定して、有効血中濃度を維持できる量を使用します（治療薬物モニタリング）。不穏や興奮には、抗精神病薬を用います。

②副作用と注意点
　副作用として、初期に、口渇、悪心、嘔吐、下痢などがみられます。過剰に投与すると、傾眠や昏睡などの中毒症状が現れます。

（6）抗てんかん薬
①使用時と効果
　てんかん発作の治療に使用します。タイプ（発作型）によって、適した薬剤を選択します。治療薬物モニタリングによって使用量を決めます。

　神経細胞の過剰な興奮を抑制したり、興奮が広がるのを防ぎます。

②副作用と注意点

　薬剤の種類によって、倦怠感、めまい、発疹、胃腸障害など、さまざまな副作用が現れます。

（7）嫌酒薬
①使用時と効果

　飲酒を制限するために使用します。アルコール依存症であることを認め、断酒会に参加するなど、断酒の意志がある場合に補助的な手段として使用します。

　シアナミドは、エチルアルコールがアセトアルデヒドになる過程を阻害します。また、ジスルフィラムは、アセトアルデヒドが酢酸になる過程を阻害します。嫌酒薬を使用すると、一時的にアルコールを受け付けない状態になります。最近では、飲酒欲求を抑える飲酒量低減薬も使用することがあります。

②副作用と注意点

　主に、吐き気や頭痛、倦怠感、不眠などがみられます。なお、嫌酒薬は、少量のアルコールでも悪酔いの症状が出るため、飲酒は厳禁です。

（8）賦活薬
①使用時

　メチルフェニデートは、ナルコレプシー★5、ADHD（注意欠陥多動障害）★6などに用います。

②注意点

　依存症となりやすいため、慎重に使用する必要があります。

 ２．電気けいれん療法の概要

　電気けいれん療法は、電気ショック療法と呼ばれたこともありますが、心理的なショックを与えるわけではありません。麻酔薬などで鎮静

させた後に、脳に100ボルト前後の電流を数秒間通電して、全身のけいれんを起こさせます。なお、最近では総合病院を中心に、全身麻酔下でけいれんが起こらないように通電だけする方法（無けいれん性電気けいれん療法）が主流となっています。

　重症のうつ病（自殺の恐れが強い場合とうつ病性昏迷★7の場合）と、重症の統合失調症（緊張病性興奮と緊張病性昏迷）に有効な治療法とされています。電気けいれん療法は、効果の高さ、副作用・合併症の少なさなどから、症例によっては、多量の向精神薬を用いるよりも有用とされています。

> Point!
> ・こころの病は、脳の不調により起こるものである。
> ・精神機能の治療に用いる薬物は、脳の中枢神経系に作用するもので、向精神薬という。
> ・重度のうつ病には、電気的ショックを与える電気けいれん療法が用いられる。

用語解説

★1　副作用：医薬品の使用に伴って生じた治療目的に沿わない作用
★2　パーキンソン症候群：主な症状として、仮面様顔貌、手足の震え、小刻み歩行、流涎などがある
★3　アカシジア：主な症状として、下肢の絶え間ない動き、姿勢の頻繁な変更、目的のはっきりしない徘徊、下肢のむずむず感などがある
★4　脳内GABA：不安や緊張を抑える物質で、ガンマアミノ酪酸とも呼ばれる
★5　ナルコレプシー：日中、場所や状況にかかわらず、非常に強い眠気を起こし、眠ってしまう睡眠障害の一種
★6　ADHD（注意欠陥多動障害）：集中力の低下、衝動的、注意力の欠如、じっとして居られないなどの行動障害
★7　病性昏迷：精神活動が停止したかのようにみえる状態（昏迷）で、意識障害はないが、話しかけにも応ぜずに、同じ姿勢を保っていたり、臥床したままになる

Step 2-5
リハビリテーションの基本

メンタル疾患の患者には、よりよい実生活や社会復帰をめざすことが必要です。リハビリテーション（社会復帰療法）では、治療効果促進と社会復帰の両面をサポートします。薬物療法や精神療法と併用させることが大切です。

1．リハビリテーション（社会復帰療法）の意義

病によって日常生活が困難になった人を、再び元の生活へと戻す手助けをすることがリハビリテーションです。メンタル疾患では、疾患の治療とともに、対人関係や、職場・学校への適応力を回復させて、社会復帰ができるようにすることも、大切な治療となります。

リハビリテーションには、生活指導、作業訓練、住居確保、日常生活支援など、さまざまなものがあります。精神科をもつ病院や保健所でも、各人に適したリハビリテーションの情報を提供しています。

2．主なリハビリテーションの種類

a．生活療法

主に病院が行う生活指導、レクリエーション、作業療法などです。

作業療法とは、農耕、園芸、木工、絵画、彫刻などの作業を通じて、精神症状の緩和、心身の機能回復、社会適応能力の向上を図る治療法です。医師の処方によって、作業療法士が中心となって行います。適応症は、統合失調症、薬物依存、精神遅滞などです。

b．デイケア

外来患者に対して行われるレクリエーション、作業指導、生活指導、

創作活動などを、デイケアといいます。病状は安定していても、就労困難で家に閉じこもりがちである場合などでは、社会性や活動性の維持・向上に、デイケアが有用であることが多いのです。

なお、日中は通勤・通学して社会生活を送り、夜間に病院で治療や生活指導を行うことを、**ナイトケア**または**ナイトホスピタル**といいます。

c．訪問看護

精神科医が本人や家族の了解を得て、看護師や保健師が自宅を訪問し、看護指導や社会復帰指導を行うことを、訪問看護といいます。外来受診時の様子だけではわからない、自宅での療養状況を把握できるという、治療のうえでの利点もあります。

d．生活技能訓練（SST）[★1]

症状が改善しても、日常生活の諸事を行うことが困難であったり、対人関係が苦手なために、社会適応が妨げられることがあります。SSTは、対人関係などの社会生活技能、疾患の自己管理技能、日常生活技能など、社会適応に必要な技能を高めるために行われます。医療機関や社会復帰施設などが実施しています。

e．復帰施設

単身生活が困難であったり、作業訓練が必要な精神障害者に対し、住居の確保、日常生活上の支援または作業訓練の提供などを行う施設が、主に都道府県によって運営されています。

> **Point!**
> ・リハビリテーションの目的は、対人関係や社会生活を回復させることである。
> ・リハビリテーションには、生活指導、作業訓練、住居確保、日常生活支援などがある。

用語解説

★1　生活技能訓練（SST）：Social Skill Training．

Step 2
理解度チェック

問 1 次のテストは、何と呼ばれる心理テストでしょうか。下記の語群から、最も適切な語句を選び解答欄に記入してください。

（1）認知症の判定に用いるテスト　［　　　　　　　　　　］
（2）500問以上から成る人格の多種多様な側面を測定するテスト
　　　　　　　　　　　　　　　　　［　　　　　　　　　　］
（3）投影法で最も代表的なテスト　［　　　　　　　　　　］
（4）作業能力を測定するテスト　　［　　　　　　　　　　］
（5）心身症や神経症の傾向を判定するテスト
　　　　　　　　　　　　　　　　　［　　　　　　　　　　］
（6）120問から成る簡易な性格テスト
　　　　　　　　　　　　　　　　　［　　　　　　　　　　］
（7）「私はよく、人から」などで始まる文章の続きを書くテスト
　　　　　　　　　　　　　　　　　［　　　　　　　　　　］

【語群】
　ロールシャッハテスト　　文章完成法テスト　　CMI
　内田クレペリン精神作業検査　　Y-G テスト　　MMPI
　改訂長谷川式簡易知能評価スケール

問 2 次の文章で正しいものには○を、間違っているものには×を解答欄に記入してください。

［　　］（1）メンタル疾患の治療では、精神療法、薬物療法、リハビリテーションなどを組み合わせることが大切である。
［　　］（2）うつ病では、精神療法が治療の中心となる。
［　　］（3）神経症では、薬物療法が治療の中心となる。

[　　]（4）統合失調症では、精神分析療法が有用なことが多い。
[　　]（5）行動化とは、葛藤を望ましい行動で表現することである。
[　　]（6）ものごとの受け止め方や考え方を修正する治療法を、認知療法という。

問3 次の薬剤の主な適応症や症状は、何でしょうか。下記の語群から、最も適切な語句を選び解答欄に記入してください。

（1）抗精神病薬　　　[　　　　]　[　　　　]　[　　　　]
（2）抗うつ薬　　　　[　　　　]
（3）抗不安薬　　　　[　　　　]　[　　　　]
（4）抗躁薬　　　　　[　　　　]
（5）抗てんかん薬　　[　　　　]

【語群】

　躁病　　うつ病　　せん妄　　神経症　　興奮　　統合失調症
　てんかん　　心身症

問4 次の文章について、a・bどちらか正しいほうに○を付けてください。

（1）メンタル疾患で入院中に行うリハビリテーションに［a．デイケア　b．作業療法］がある。
（2）メンタル疾患で通院中に行うリハビリテーションに［a．デイケア　b．作業療法］がある。
（3）看護師や保健師が自宅を訪ねて看護指導などを行うことを、［a．ナイトホスピタル　b．訪問看護］という。
（4）［a．うつ病　b．統合失調症］では、作業療法が有効である。
（5）対人関係、疾患の自己管理および日常生活技能などに関する訓練を、［a．生活技能訓練　b．授産訓練］という。

Step 2
理解度チェック 解答と解説

問1

（1）**解答**：改訂長谷川式簡易知能評価スケール
（2）**解答**：MMPI
（3）**解答**：ロールシャッハテスト
（4）**解答**：内田クレペリン精神作業検査
（5）**解答**：CMI
（6）**解答**：Y-G テスト
（7）**解答**：文章完成法テスト

問2

（1）**解答**：○
（2）**解答**：×
　　　解説：うつ病では、精神療法よりも、まず、薬物療法と十分な休養が必要である。
（3）**解答**：×
　　　解説：神経症では、薬物療法よりも、まず、精神療法が必要である。
（4）**解答**：×
　　　解説：統合失調症は、原則、精神分析療法の適応症ではなく、行うことで病状を悪化させる恐れもある。
（5）**解答**：×
　　　解説：言語化できない葛藤などがリストカットや破壊行為などになって表れることを行動化という。
（6）**解答**：○

問3

（1）**解答**：せん妄、興奮、統合失調症　（※順不同）
（2）**解答**：うつ病
（3）**解答**：神経症、心身症　（※順不同）
（4）**解答**：躁病
（5）**解答**：てんかん

問4

解答：（1）b　（2）a　（3）b　（4）b　（5）a

memo

Step 3-1
メンタル疾患の概要をとらえる

メンタル疾患は、精神科ではどのように分類されているのでしょうか。そして、どのように診断されるのでしょうか。ただし、**診断名だけでその人をレッテル付けしてはいけません**。

 1．なぜメンタル疾患になるのか

　メンタル疾患になる人は、メンタル疾患にならない人と、どこが違うのでしょうか。なぜ、メンタル疾患になってしまうのでしょうか。こうした疑問は、非常に多くの人から聞かれます。しかし、メンタル疾患の多くは、遺伝、生育歴、性格、ストレスなど、さまざまな要因が複合的に絡み合って起きると考えられ、容易に答えることができません。

　糖尿病や高血圧は生活習慣病と呼ばれ、主に自分自身の不摂生な生活が大きな発症リスクとなります。このため、生活習慣を改善する努力をすれば、生活習慣病にかかる危険も減らすことができます。

　一方、代表的なメンタル疾患である統合失調症や双極性障害（躁うつ病）は、本人の努力で発症を抑えることは極めて困難です。なぜなら、メンタル疾患の原因は人それぞれに違い、日常生活のなかで、こころを傷つける外部からの刺激を遮断することは不可能に近いからです。

　メンタル疾患の発症に対しては、内科や外科の疾患に対するような同情や理解は得られないことのほうが多いのが現状です。これも、メンタル疾患に対する無理解や偏見によるものと思われます。また、メンタル疾患と診断されたからといって、疾患名だけでその人を判断してはいけません。問題解決のための糸口のひとつととらえる視点が求められます。

2.メンタル疾患の分類

メンタル疾患は、内因性、心因性、外因性の大きく3つに分けられます。

a．内因性

内因性とは、原因となるような肉眼でわかる脳の異常（器質的な異常）や、外部からの明らかなストレスなどが見当たらず、ある程度の遺伝的な素因（病気にかかりやすい傾向）によって発症することをいいます。代表的なものは、統合失調症と双極性障害（躁うつ病）で、2大内因性精神疾患と呼ばれています。

b．心因性

心因性とは、心理的な要因、つまり、ストレスとなるできごとや性格などが要因となって発症することをいいます。代表的なものは、神経症と心身症です。

c．外因性

外因性とは、器質的な異常が原因となって発症することをいいます。代表的なものは、アルツハイマー型認知症や脳血管性認知症です。

以上の分類方法は、診断マニュアル（Step 3-2参照）の進歩とともに、あまり用いられなくなっています。理由の1つとして、メンタル疾患の要因が、以前考えられていたよりも、さらに複合的とわかってきたことがあります。しかし、内因性、心因性、外因性という分類は、主要な要因を表しており、複雑なメンタル疾患の性質を理解するためには、現在でも有用な方法といえるでしょう。

メンタル疾患は、内因性・心因性・外因性の3つに分けられる。

Step 3-2
メンタル疾患の診断マニュアル

本項では、メンタル疾患を診断するマニュアルと診断方法について紹介します。

1. 診断マニュアルによる分類

(1) 疾病及び関連保健問題の国際統計分類 (ICD-10)

　ICD-10は、世界保健機構（WHO）が制定した「疾病及び関連保健問題の国際疾病分類（International Classification of Disease）改訂第10版」による分類です。**疾病の共通分類**を確立し、世界中で統一した基準で診断するためにつくられました。医学の正式な疾患名（用語）として公用文書に記載される疾患は、すべてICD-10の告示に定められている用語が使用されます。ICD-10は、最も広く用いられている診断基準です。現在、海外では改訂版のICD-11が発行されており、日本でも導入する予定です。

(2) 精神障害の診断と統計の手引き (DSM)

　DSMは、米国精神医学会が作成した「精神障害の診断と統計の手引き（Diagnostic and Statistical Manual of Mental Disorders）」です。精神疾患を客観的に診断するために、各症状をさまざまな角度から検討する方法（多軸方式）を採用した、1994年に発表された改訂第4版（DSM-IV）が広く用いられていました。2013年に19年ぶりに大改訂され、改訂第5版（DSM-5）が発表されました。DSM-5では、多軸方式が廃止され、重症度をパーセント表示で判定する多元方式が導入されました。

2. DSMによる診断方法

　身近なメンタル疾患の1つであるうつ病を例にして、DSMによる診断の流れを紹介します。

　うつ病と診断するために必要な症状として、診断基準には次の9つがあります（文章は要約しています）。DSM-5では、抑うつ性障害の大うつ病性障害に分類されています。

---

①抑うつ気分
②すべての活動に対する興味や喜びの著しい減退
③食欲減退または食欲増加、ダイエットをしていないのに著しい体重減少または体重増加
④毎日の不眠または過眠
⑤焦燥感、または思考や動作が緩慢になる制止症状
⑥疲れやすい、または気力減退
⑦無価値感[★1]、または強い罪責感[★2]
⑧思考力や集中力の減退、決断力の低下
⑨死について何度も考える自殺念慮[★3]や自殺企図

　うつ病では、過食や過眠を引き起こすタイプもあるため、上記③④の基準があります。

　そして、9つのうち、①または②を必ず含む5つ以上の状態が、ほぼ1日中・2週間以上にわたって存在することが、うつ病と診断するのに必要な条件となります。さらに、次のような条件をすべて満たしたときに、うつ病と診断します。

- 著しい苦痛または、社会的、職業的、その他の重要な領域における機能の障害を引き起こしていること
- 薬物依存など薬物によるもの、または身体疾患によるものではないこと

以上のような診断の流れを、**大うつ病エピソード**といいます。

各国で統計をとったり、薬の効果を調べたりするときに、同じ診断名の患者を対象にしようとしても、診断基準が明確でなければ、患者同士を比較しても意味がありません。そこで、このような方法によって、国、地域、医師の経験や立場などで診断がなるべく左右されないようにしているのです。DSMなどによる診断方法は、治療のためにも役立ちますが、それ以上に、統計や研究のために大変重要であるといえるでしょう。

3．診断基準の問題点

DSMは、「何個以上の症状があれば、このメンタル疾患」というように、一見明確な基準に思えます。しかし、それぞれの症状の有無自体が、医師間で意見が一致しないことがあります。「抑うつ気分がある」といっても、軽度であれば、医師によっては症状なしと診断する可能性もあります。特徴的な症状が出ていれば迷うことはありませんが、グレーゾーンのケースも非常に多いのです。医師間の一致率が50％以下というメンタル疾患もめずらしくありません。

また、診断名は、さまざまな症候群を分類するための苦しまぎれの策に過ぎないと主張する人もいます。ケースによっては、実際に強いて何かの診断基準に当てはめ、診断名を決めていることもあります。

4．診断後の入院の判断

　診断によって治療方針は立てやすくなりますが、同じ診断名でもメンタル疾患は千差万別と考えましょう。診断名で患者を判断するのではなく、患者の属性として診断名があるという視点も必要です。診断名は、決してレッテルではなく、その人の問題を整理する1つの材料にすぎないのです。病気という先入観をもたず、健康的な面も病的な面も含めた全体像として患者を見ることが大切です。

　メンタル疾患で入院治療が必要なものとして、次の場合があります。

- ・自傷他害（自分を傷つけたり、他人に被害を及ぼしたりすること）の恐れがあるとき
- ・治療の必要性を理解せずに拒否するとき
- ・自宅で安静や規則正しい生活を確保できないとき
- ・自宅で適切なリハビリテーションを受けられないとき

Point!
- ・メンタル疾患の診断は、国際的な基準によって行われる。
- ・わが国では、メンタル疾患の診断基準として、WHOによるICD-10を用いることが多い。
- ・メンタル疾患を診断されても、診断名は、本人のレッテルではない。

用語解説
★1　無価値感：自分やものを過小評価し否定的になる感覚
★2　罪責感：自分に罪があると考え、自分を責めたくなる気持ち（罪悪感）
★3　自殺念慮：死にたいと思い、自殺することについて思いめぐらすこと

Step 3-3
メンタル疾患の人にどう接するか

メンタル疾患の患者のこころは、どうしたら理解できるのでしょうか。本項では、患者の話を「聴く」ことの大切さを学びます。Part 4 Step 2-1の積極的傾聴もあわせて参照してください。

 1．何らかの異常に気づく

　メンタル疾患の初期症状は、生活面や仕事面の変化となって現れてきます。そして、変化に最初に気づくのは、ほとんどの場合、身近な家族や同僚なのです。反対に、周囲が本人の変化に批判的であったり、無関心であったりすれば、本人が問題を一人で抱え込んだり、精神科医から見ると明らかな異常を、本人は平静を装って何も問題がないかのようにふるまいます。その結果、精神科を受診するなどの適切な対応が遅れてしまいます。現実に、そうした例が大変多く、うつ病や統合失調症の場合は、自殺の危険性もあります。内科や外科の疾患であれば、通常の場合は、死に至る危険が起こる前に病院へ行くことでしょう。

　下記2に述べるメンタル疾患の初期症状を見逃さないことも、カウンセラーや周囲の身近な人の重要な役割です。他の疾患と同様に、早く病院を訪れると、それだけ早期に適切な処置が施されることになります。

 2．メンタル疾患の初期症状

　図19は、代表的なメンタル疾患である、うつ病、躁病、統合失調症の初期症状（兆候）を示したものです。

● **図19　うつ病・躁病・統合失調症の初期症状の例**

メンタル疾患	初期症状
うつ病	眠れなくなる、食欲がなくなる、体重が減る、表情が乏しくなる、口数が少なくなる、笑わなくなる、ぼんやりしている、いつも考え込むようになる、自信をなくす、仕事や作業の効率が落ちる、遅刻や欠勤が増える
躁病	極端に明るくなる、眠らなくても活動的である、早口で口数が多くなる、誇大的な言動が増える、浪費や借金をする
統合失調症	陰口を言われている・うわさをされていると言う、盗聴・尾行・監視されていると言う、ひとり言を言う、人がいないのに声が聞こえると言う、誰かに嫌がらせをされていると言う、人に見られていると言う

　うつ病、躁病、統合失調症は、基本的に病識★1をもちにくいメンタル疾患です。図19のような症状は、自分で気づいても病気とは思わないことも多く、家庭や職場で周囲の人に気づかれて問題となります。ただし、症状があれば必ずメンタル疾患にかかっているというわけではありません。以前の本人と比較して、**どのように変化しているか**を評価することが大切です。周囲の身近な人は、ちょっとした変化にも敏感に気づけるよう、普段からのコミュニケーションで様子を知っておくことも必要です。

　診察では、①いつごろから、②どのような症状が、③どの程度の頻度や持続性をもって出現しているかを尋ねます。そして、診断には、何らかの環境の変化があったのか、元来どのような性格傾向なのかといった情報も大変重要です。

> メンタル疾患の初期症状は、生活面、仕事面から現れてくる。

用語解説
★1　病識：自分の状態が病的と認めること

Step 3-4
メンタル疾患への対応方法

メンタル疾患の対応方法は、家族、友人、上司、同僚、医師、カウンセラー、保健師など、それぞれの立場によって多少異なりますが、「聴く」ことを中心にという基本的な考え方は同じです。

 1．メンタル疾患への対応方法の基本

　聴くことは、本人と信頼関係を築くための基盤です。本人を囲む人々は、メンタル疾患の特性を理解して、全体が一貫した方針のもとで本人と接することが大切です。以下、「聴く」を中心に、対応方法の基本を説明します。

（1）聴くための雰囲気をつくる

　立場や関係によって話の聴き方は異なりますが、雰囲気や態度などで大切なことは同じです。話を聴くときには、穏やかな雰囲気で、**肯定的かつ受容的な態度**で接します。話し手を尊重し、理解しようとする肯定的な態度で耳を傾けることが基本です。また、静かでリラックスできる場所を選びましょう。

（2）話を聴く時間を決める

　話を聴くときは、ゆとりをもった時間帯を設定しましょう。話が中断されやすい時間帯は避けます。あらかじめ、話をする時間はどのくらいかを決めておきます。聴く側も話す側も、限られた時間を有意義に使うことが、互いの時間を尊重することになります。

　時間を守ることは、人間関係を良好に保つ基本です。理由もなく約束

を一方的にキャンセルしたり、必要もなく約束の時間外に話をしたりするのは問題です。勝手な態度を認めることで、本人の依存性をさらに強めてしまうこともあります。**時間の枠組みをしっかりさせる**ことが、相互の信頼関係を安定させることになります。

（3）説得、批判、解釈は控える

本人は、説得、批判、解釈を望んでいません。話を聴いてもらって、自分の気持ちと考えを整理したいと思っています。意見を押しつけようとすれば、必ず抵抗が生まれます。本人が話したいことを、あますところなく聴くことが大切です。

ただし、通常は、本人が、話を聴いてもらったと感じたあとであれば、批判や忠告も受け入れてくれるようになります。なぜなら、ここまで自分の話を聴いてくれた人の言うことなら、相手も、少しは自分も聴こうという気持ちになるからです。さらに、聴く側も、相手の話をすべて聴いた後ならば、第一印象で言おうとしていた意見も修正されて、より相手の立場になって、相手のためになる意見を与えることができるはずです。

（4）原因探しは避ける

メンタル疾患は、明確な原因がないことのほうが多く、原因探しは有益とはいえません。しかし、身近な人ほど、何が原因かを突き止めようとする傾向があります。原因を取り除けば、もとに戻ると期待するからです。

双極性障害（躁うつ病）や統合失調症では、大きな環境の変化などが強いストレスの原因となることもありますが、これらはメンタル疾患の原因ではなく、**誘因**[★1]と呼ばれます。いったん発症すれば、誘因をいくら取り除いてもメンタル疾患はよくなりません。ただし、ストレスによってさらに悪化させたり、治療を妨げたりするのを防ぐために、環境

を調整することは大切です。

（5）どのくらい聴けばよいか

　コミュニケーションにおいて、何よりも一番大切な行為は、聴くということです（Part 4 Step 2-1「積極的傾聴」参照）。問題を抱えた人が相談したいというのは、話を聴きたいのではなく、「話したい、聴いてほしい」と思っているのです。

　それでは、どのくらい聴けばよいのでしょうか。自分では十分話を聴いたと思っていても、相手はこころの内をすべて聴いてもらったとは思っていないことがよくあります。「どのくらい」という質問の答えは、「その人が、十分聞いてくれたと思うまで」です。つまり、聴く時間や情報量では測れないものなのです。

（6）「聞き出す」のではなく、「聴き入る」

　相手の話したいことと、自分の聴きたいことが違っていると、つい、相手から話を聞き出そうとしてしまいます。自分の立場や都合で話を聞き出しても、相手は、話を聴いてもらったとは思いません。そして、時間がかかればかかるほど、相手はいろいろとしつこく事情聴取でもされたように感じてしまうことでしょう。これでは、せっかくの時間が無駄になってしまいますし、相手を救うことにもなりません。

　こちらの立場や都合で話を聞き出すのではなく、とにかくひたすら聴き入ります。相手が話を引き出されたと感じないで、話に聴き入ってもらえたと感じることが最大の目的だからです。人は、多くの場合、すぐに何か言いたくなるものです。まして、問題を抱えている相手に対しては、忠告やアドバイスを聞かせたくなるものです。

　繰り返しになりますが、最大の目的は、自分が聴き入ることで相手が聴いてもらったと感じることという点を忘れないことです。その後でのアドバイスや忠告は、何倍もの効果があるのです。

（7）積極的に聴く

　真剣に聴くことは、非常に積極的な行為です。聴くためには、集中力が必要です。共感する能力も必要です。本人の状況、気持ち、考えを想像する能力も必要です。一方で、本人の感情に流されず、自分を客観視する冷静さも必要です。言い換えれば、聴くためには、**聴く側の積極的な努力**が必要なのです。

（8）優秀なキャッチャーになる

　会話はよく、キャッチボールにたとえられます。雑談であれば、気軽にボールを投げ合えばよいでしょう。しかし、相手がボールを真剣に投げてきたら、受ける側も真剣になる必要があります。相手のボールをきちんと受け取るためには、高い技術も必要になります。優秀なキャッチャーは、ピッチャーの力を引き出しますが、会話も同じです。優秀な聴き手であれば、話し手の言いたいことを存分に引き出すことができます。

（9）聴くことが「与える」ことになる

　聴いているだけでは、相手に何も与えないのではないかと心配する必要はありません。ただ丁寧に聴き入ることで、十分与えることになるのです。相手が十分と感じるまで話を聴くことは、話し手を尊重する態度を示すことであり、相手の尊厳を高めます。そして、相手は、尊厳を取り戻すことで、自己解決能力や自己治癒力を高めることになります。

　精神科医やカウンセラーによる面接では、聴くことに徹して、必要最低限の話しかしないこともめずらしくありません。いかにためになる話ができるかよりも、いかによい聴き方ができるかのほうがよりよいカウンセリングといえます。

2．メンタル疾患への対応の注意点

（1）理解・共感をする

　まず、聴く側の心理的態度について考えましょう。
「相手の話にひたすら聴き入る」ということは、相手の言うことにすべて同意して、相手の言いなりになることだと思う人もいるかもしれません。相手への理解・共感を示すことは大切ですが、それは必ずしも、相手の言うことに同意して言いなりになることではありません。相手の言うこと、立場、気持ちなどを十分に理解したうえで、まったく同意しないこともあるのです。

　たとえば、統合失調症で幻聴がある場合、その幻聴は、本人にしか聞こえていません。たとえば、「明日、世界は滅びる」という声であったとしましょう。「明日、世界は滅びる」などということが、どこからともなく、四六時中頭のなかで聞こえていたとすれば、本人にとっては、大変つらく恐ろしい思いのはずです。きっと、生きている心地もしないだろうと、相手の気持ちを想像することはできるでしょう。「明日、世界は滅びる」という声が、現実の声であると言うことには同意や肯定はできませんが、幻聴という症状に苦しんでいる本人の気持ちは理解できるはずです。

　このように、必ずしも「共感＝同意」ではないことを知っておくと、より相手の話に聴き入ることに集中できるようになります。

（2）否定・訂正しない

　たとえば、認知症の高齢者では、記憶障害や見当識障害の症状として、同じ話を繰り返したり、話している相手を間違えて認識していることがあります。この場合、「さっきも聴きましたよ」、「○○ではなく、私は△△ですよ」と否定したり、訂正したりしてはいけません。聴く側にとっては同じ話でも、話す側にとっては初めてする話であると理解

し、認知症の人の世界に合わせた対応が求められます。認知症のほか、双極性障害（躁うつ病）や統合失調症でもみられる妄想は、否定しても内容が修正されるものではありません。否定も肯定もせず、巻き込まれないように関わります。

（3）本人を見守る

　メンタル疾患で悩む相手に何かしてあげようと、周囲が焦ってしまうことがあります。よく「どのような言葉がけをすればよいか」という質問を受けますが、もしかしたら、本人はそっとしておいてもらいたいのかもしれません。相手が何を望んでいるかということは、相手の話に聴き入ることでわかってくるはずです。相手にどのような言葉がけをすればよいかというのは、本当に相手のことを考えていない見当違いの質問だということもあるのです。

　精神医学的に見ると、メンタル疾患が安定してきたとき、自分からしてほしいことが言えるようになります。つまり、自分からしてほしいことが言える時期が来るまでは、周囲には何もせず、ただ見守っていてほしいことが多いものなのです。メンタル疾患の回復には、相当な時間がかかるといわれていますが、その回復する過程を、周囲がただ何もせずに見守ることで、本人の自己治癒力を最も引き出すことになるともいわれています。ひたすら聴き入ることと同様に、ただ見守るということも、実は大変有意義で、メンタル疾患の治癒に対して積極的な行為なのです。

> Point!
> メンタル疾患の人への対応は、とにかく「聴く」ことが第一である。

用語解説

★1　誘因：疾病の原因を誘発し、発病を促すもの

Step 3-5
メンタル疾患に対する薬物療法

風邪をひいたら風邪薬を飲むように、メンタル疾患のときには疾患を快方に向かわせる薬を使用することがあります。メンタル疾患の治療薬は、医師から適切な指導を受けて用います。

 1．否認の心理への対処方法

　自分が病気であることは、すぐには受け入れられないものです。しばらく様子を見れば治るのではないかなど、病気を認めるのを先延ばしにしがちです。まして、どこがどのように病気なのかがわかりにくいメンタル疾患では、なおさら素直に認めたくない心理がはたらきます。これを否認の心理といいます。

　否認の心理は、本人だけでなく、家族にもしばしばみられます。メンタル疾患に対する偏見もはたらき、自分の家族がメンタル疾患であるとはなかなか受け入れにくいものです。しかし、治療を先延ばしにするうちに、適切な初期治療が遅れることもよくあります。否認の心理には、どのように対応していけばよいのでしょうか。

　まず、大切なことは、**否認の心理を理解する**ことです。自分を病気だと思いたくないというのは、人から病気だと思われたくないという気持ちと同様で、当然の心理と理解することです。その気持ちを理解したうえで、病気であることを無理に納得させようとしたりせず、自ら病気を受け入れていくプロセスを見守ることが大切です。

　次に、病気にこだわらず、**病気から派生する問題を解決する協力者となる**ことです。本人が抱えている問題を客観的に整理して、解決策を一緒に考えていきます。最初は病気を否認していても、抱えている問題を

自覚するうちに、少しずつ自分のなかで病気を認めることができるようになるものです。大切なのは、メンタル疾患が疑われて、初期症状が出たら、できるだけ早く精神科にかかるということです。

2．薬物療法への抵抗感

　現在の精神医学では、メンタル疾患は、脳の一時的な不調とみなされています。脳も身体の臓器の1つであるため、熱が出たり、胃が痛くなったりしたときに薬を飲むのと同様に、薬物療法が重要な役割を果たします。薬物は補助的に用いる場合もありますが、薬物療法以外では改善しないメンタル疾患も多いのです。薬物は、主に脳のはたらきをコントロールする神経伝達物質へ影響を与えて治療効果を発揮します（Step 2-4参照）。

　しかし、現実には、メンタル疾患の場合、薬物療法が適切に行えていないことが多いのです。それは、メンタル疾患に対する理解が不足していること、疾患の病識がもちにくいこと、薬物の副作用・依存性の問題があることなどが理由といえます。風邪薬や胃薬は積極的に服用しても、こころに対する薬には強い抵抗を感じる人も多いでしょう。こころに対する薬、つまり、向精神薬（Step 2-4参照）の作用は、内科の薬などと比較するとわかりにくいためかもしれません。

　すでに、精神科に通っていて、向精神薬を処方されていても、薬に関してはさまざまな疑問をもちながら服用している人が多いものです。以下に、薬物療法への基本的な考え方を整理します。

3．薬物療法を選択するとき

（1）薬を飲まずに治せるか
　メンタル疾患の症状は、数回のカウンセリングで完治するものから、

適切な薬物を長期間使用しないと改善は望めないものまで多種多様です。環境調整でストレスが軽減し改善するようであれば軽症であり、薬物は不要という場合もあります。また、精神療法やリハビリテーションだけで治療する場合もあります。

しかし、代表的なメンタル疾患である統合失調症や双極性障害（躁うつ病）では薬物療法が基本であり、必要に応じて精神療法やリハビリテーションを用います。特に、自殺を考えるようなうつ状態、強い興奮を伴う躁状態、幻覚・妄想状態などには、症状の改善と再発の防止のために、絶対に薬物療法が必要です。また、それらの症状の再発を予防するためにも、薬物療法は大変重要です。つまり、薬物は、精神科医の処方に従うことが大切なのです。

（２）なるべく薬に頼らずに治したほうがよいか

メンタル疾患では、なるべく薬を使わずに治したいと思う人が多いようです。しかし、ほとんどの場合は、早めに薬を使って、つらい時間をできるだけ短くすることが勧められます。なぜなら、メンタル疾患の症状は、もともと精神力や努力が足りずに起きているわけではないからです。頼るべきところはきちんと頼って、症状が軽減された状態を維持するほうが、症状を悪化させずに済みます。

健康なときは、薬に頼ることは、精神的な弱さを意味すると感じる人が多いものです。まして、こころに効く薬に頼ることなど、精神力が弱いと考えがちです。健康なときには、そのとおりであるという場合もありますが、病気のときには、まったく当てはまりません。どれほど強く鍛えられた運動選手でも、骨折をしてしまったら、松葉杖やギプスをして骨折を治すはずです。松葉杖やギプスの使用は、精神力の弱さを意味しません。どこを自分で治せばよいのか、どこを薬に頼ればよいのかは、重要なことです。常に主治医と相談し、薬に頼るべきところはしっかりと頼ることで、メンタル疾患は快方に向かいます。

（3）薬は一生飲み続けなければならないか

　メンタル疾患の性格、発症時の重症度によりますが、再発予防のため、長期にわたって内服するほうがよい場合もあります。内因性のメンタル疾患といわれる統合失調症や双極性障害（躁うつ病）では、いったん病状が改善しても、これを治癒とは呼ばず、寛解と呼んでいます。寛解とは、症状は改善したが、再発の可能性は残されているという意味です。糖尿病や高血圧の人が、血糖値や血圧を下げる薬を長期間服用するのと同じ理由です。

　つまり、長期間にわたる薬の使用は、メンタル疾患を治すためではなく、治った状態を継続させるために必要と考えられた結果のことです。これも、医師の指示に従うべきでしょう。

（4）強い薬より弱い薬で治したほうがよいか

　強い薬・弱い薬といった言い方をすることがあります。強い薬は効き目が強いが、副作用なども強いというマイナスのイメージがあるようです。できれば、弱い薬で治したいという人が多いのも事実です。しかし、実際には、薬物の強さにこだわることには、あまり意味がありません。

　たとえば、睡眠薬は、薬効の強さと作用時間の長さによって、いくつかに分類できます。強い眠気が出るが作用時間が短いタイプも、眠気は弱いが作用時間が長いタイプもあります。どちらが強い薬かは、一概にはいえません。大切なのは、**期待する作用が得られること**と、**副作用が強く出ないこと**なのです。

4．薬物療法中のとき

（1）薬を飲んでいると癖（依存症）にならないか

　向精神薬には、依存症を引き起こすようなものはほとんどありません。ただし、中枢神経刺激薬のメチルフェニデート（リタリン）には依存性があるため、医師の厳重な管理のもとで服用する必要があります。

また、抗不安薬は、常用量でも長期間服用により依存症を引き起こすことがあります。依存症を防ぐには、常に主治医に相談しながら、メンタル疾患の治療あるいは再発予防に必要かつ十分な内服量を用いることが大切です。主治医は、依存性も考慮したうえで薬を処方しています。

（2）自分の判断で薬を減らしてもよいか

　上記（1）で述べたとおり、主治医は、診察のなかで症状の変化について詳細に尋ねながら、適切な薬物や内服量を決めています。しかし、癖（依存症）になるのを恐れて、勝手に内服量を減らしてしまい、治療効果が十分に得られなかったり、メンタル疾患が再発することが大変多いのも事実です。調子が悪ければ増やしてよいのか、調子がよければ減らしてよいのかなどは、主治医が決めることであって、患者が決めることではありません。依存症になるのが怖いという患者の気持ちを主治医に伝えましょう。副作用が出た薬があった場合も、そのまま主治医に報告して、今後の方針を立て直していきます。

（3）副作用を感じる場合はどうしたらよいか

　一般的な副作用については、薬の処方時に主治医が説明することが多いのですが、すべての副作用をあらかじめ説明することは困難です。何らかの副作用があると感じたら、どのように対処すればいいか、必ず、主治医に相談します。

　向精神薬は、内科の薬よりも比較的副作用が出やすい薬です。しかし、多くの副作用は耐性（Step 2-4参照）を生じるため、数日間で徐々に軽くなってくることが多いのです。そして、本来の作用には耐性を生じにくいため、最初の副作用を乗り越えれば、本来の作用を得ることができます。副作用が出たからといって合わない薬というわけではありません。ときには、少々の副作用であれば続けてみて、作用が出てくるのを待つほうがよい結果をもたらすこともあります。

(4) 緊急の対応が必要な副作用はどうしたらよいか

　呼吸困難、幻覚、もうろうなどの意識の障害や、パニック状態など、緊急の対応を要するような副作用が出た場合は、まず、主治医に連絡して、対処法について相談します。夜間や休日で連絡が取れない場合は、近隣の精神科病院に連絡を取り、飲んでいる薬品名や病状を告げて、副作用について相談する方法があります。このため、夜間や休日に対応可能な精神科病院について主治医に尋ねたり、調べたりしておくとよいでしょう。

(5) 薬を飲んでいるうちは治っていないのか

「内服が必要な状態＝治っていない」というのは、一般によくある勘違いです。たとえば、高血圧治療に用いる降血圧薬が必要だからといって、高血圧は治らない病気ではありません。糖尿病も血糖降下剤によって血糖が良好にコントロールされていれば、治っていないとはいえません。メンタル疾患でも、根本的な治療も必要ですが、症状をコントロールする方法を見つけることも大切です。内服してコントロールできている（＝治っている）状態を維持するほうが、薬をやめて再発のリスクを高めるよりは安心といえるでしょう。

(6) 長く飲んでいると脳のはたらきに影響しないか

　向精神薬によって、健忘症や認知症のようになることはありません。向精神薬によって、ぼんやりとした状態になったり、反応性が鈍ったようになったりすることはあります。しかしこれは、薬によって一時的にリラックスした状態になっているだけのことです。

> メンタル疾患は、他の疾患と同様に、薬物療法が効果的である。

Step 3-6

睡眠薬の使用の基本

睡眠薬は、メンタル疾患でなくても使用される一般的な薬の1つです。認知度は高いのですが、服用については十分な配慮が必要です。Step 2-4で述べた睡眠薬の解説もあわせて参照してください。

 1．睡眠薬の基礎知識

（1）睡眠薬の効果

　睡眠薬は、大脳が興奮して不眠を招いたときに用いる薬剤です。少量を用いると、鎮静効果もあります。統合失調症や双極性障害（躁うつ病）などで強い不眠がみられるときは、より鎮静効果の強い抗精神病薬も用いられます。

　睡眠薬は、次の条件を備えていることが望まれます。

- ・習慣性がないこと
- ・寝つきのよいこと
- ・目覚めが自然であることなど

　睡眠薬には、ベンゾジアゼピン系、非ベンゾジアゼピン系、オレキシン受容体拮抗薬、メラトニン受容体作動薬などがあります。以前はベンゾジアゼピン系が主流でしたが、最近では耐性[★1]や依存性の問題が指摘され、ベンゾジアゼピン系の長期連用は控えた方がよいとされています。

（2）睡眠薬の依存性

　睡眠薬は、ストレスや身体症状による不眠に対して、一時的に常用量

を使用するには安全な薬物です。しかし、常用量であっても、長期間の内服により、身体依存が形成され、離脱症状が出現することがあります。この状態は、常用量依存（臨床用量依存、低用量依存）と呼ばれています（特にベンゾジアゼピン系）。

　離脱症状は、不安、焦燥感、気分の落ち込み、頭痛、発汗、手足のしびれ、振戦（しんせん）★2、知覚異常、けいれん発作、離人感、動悸（どうき）、吐き気、嘔吐（おうと）、下痢、便秘、腹痛など多岐にわたります。これらを退薬症状と呼びますが、退薬症状が起こるために、服薬をやめられなくなることもあります。不眠が改善したら、漫然と内服するのではなく、徐々に減薬することを考える必要があります。睡眠薬は、医師の管理のもとに使用することが望まれ、いつどのようにやめていくかについても相談しておく必要があります。

2．睡眠薬の種類

　睡眠薬は、内服してから徐々に血中濃度が上昇し、15〜30分で眠気を感じるようになり、1〜3時間で最高血中濃度に達します。その後、肝臓で分解されて、徐々に血中濃度も下降していきます。血中濃度が半分になるまでの時間を、**半減期**といいます。半減期が長いほど、作用時間も長くなる傾向があります。睡眠薬は、図20のように、半減期の長さによって4つに分類されています。なお、半減期は12時間以上あるものも、睡眠薬としての作用時間は4〜10時間程度です。

3．睡眠薬の選び方

　どのようなときにどの睡眠薬を用いるかは、以下のとおりです。
a．入眠困難
　超短時間型か短時間型が適しています。超短時間型や短時間型は、作

● 図20　睡眠薬の種類と作用

種類	半減期	作用時間	商品名
超短時間型	2～4時間	2～4時間	マイスリー、ルネスタ、アモバン
短時間型	6～10時間	6～8時間	レンドルミン、ロラメット／エバミール、リスミー
中間型	12～24時間	6～10時間	サイレース／ロヒプノール、ユーロジン、ベンザリン
長時間型	24時間以上（～40時間）		ダルメート、ソメリン、ドラール

用が出るまでの所要時間が比較的短く、早く眠気が出ます。なお、交替制勤務で仮眠を取ったり、乱れた睡眠リズムを修正して時差ぼけを治したりするときにも、超短時間型や短時間型が処方されることがあります。

b. 中途覚醒、早朝覚醒、熟眠障害

　中間型か長時間型が適しています。中間型や長時間型は、眠気やふらつきが翌日まで残る持ち越し効果があるため、1錠を半錠にして内服量を減らしたり、内服する時刻を少し早めるなどして対応するような指示が出ることもあります。

c. ストレス

　慢性的にストレスを感じていたり、ストレスによる身体症状が続いていたりする場合は、中間型や長時間型がよい効果をもたらすことがあります。中間型や長時間型のように半減期が長いものは、日中の不安感、焦燥感、いらいらなどを改善させるはたらきも期待できます。

d. 反跳性不眠

　睡眠薬を連用後、急に中断すると強い不眠を生じることがあり、反跳性不眠といいます。反跳発性不眠が起きたときには、超短時間型か短時間型が処方されます。超短時間型や短時間型は、長期にわたって漫然と

服用したり、急激に中断したりすることを避けるようにします。減らすときは、必ず、徐々に減らす（漸減させる）ようにします。

　どのタイプの睡眠薬を何の目的で使用するか、どのくらいの期間使用するか、どのように減量・中止するかなど、主治医と十分に話し合って、医師の管理のもとに服用することが大事です。

4．睡眠薬使用の注意点

a．服用のタイミング
　超短時間型と短時間型は、服用後、健忘（Step1-2参照）が起こりやすいという特徴があります。このため、内服後は、すぐに入眠できるようにしておくことが大切です。

b．妊娠中の服用
　妊娠中の服薬については、妊娠の可能性がある時点で早めに主治医とよく相談します。ただし、一般に、向精神薬の催奇形性[★3]はそれほど高くはないといわれています。

c．服用の中止（減量）
　上記3で述べたように、睡眠薬は、一度にやめると反跳性不眠を起こすことがあります。薬物を急にやめたことによる一種のリバウンドです。反跳性不眠は、一過性のものであり、数日で改善します。しかし、睡眠薬を内服する以前よりも、強い不眠が出ることがあるため注意が必要です。反跳性不眠により、薬がないと眠れなくなるという恐怖を感じ、かえって精神依存が強くなってしまいます。睡眠薬の減らし方の例を紹介します。

> **睡眠薬の減量法**
>
> 　短時間型と長時間型の睡眠薬を1錠ずつ飲んでいた場合を例にします。
> 　まず、長時間型だけを半錠にする日を設けます。毎日1.5錠にする必要はなく、1.5錠で眠る日を徐々に増やしていきます。そして、ほぼ毎日1.5錠で眠れるようになったら、さらに、もう半錠を減らす日を設けます。短時間型と長時間型のどちらを減らすかには決まりはありません。寝つきが心配な場合は、短時間型1錠を残します。また、早朝覚醒が心配な場合は、短時間型と長時間型を半錠ずつとします。そして、毎日1錠分で眠れるようになったら、次は、ときどき半錠とします。毎日半錠で眠れるようになったら、少しずつ、何も飲まずに寝る日を増やしていきます。その後は、眠れないときだけ半錠を飲むようにします。

　長時間型を中間型に変えるなど、作用時間の長いものを短いものに切り替えていく方法もあります。ただし、薬の効き方には個人差が大きく、薬を変更すると効き目の印象が大きく変わることもあるので、無理に睡眠薬を変更しなくてもよいでしょう。

　メンタル疾患の1症状としてみられる不眠は、疾患が改善すれば不眠も改善していくことが多いのです。したがって、メンタル疾患が改善したら、睡眠薬の減量あるいは中止を考えます。再発予防のために少量の治療薬を飲み続けている場合でも、睡眠薬を中止できることがあります。

5．睡眠薬の関連知識

（1）プラセボ効果

　プラセボ効果は偽薬(ぎやく)★4効果とも呼ばれ、薬効のない偽薬を内服しても、効果を示すことをいいます。睡眠薬は、効果が心理的に左右されやすく、プラセボ効果が高い薬です。

（2）プラセボ効果による試験

　新薬の有効性と安全性を調べるために、実際に人間が使用する試験を、臨床試験といいます。さらに、臨床試験のうち厚生労働省の認可を得るために行う試験を、治験といいます。臨床試験では、二重盲検法★5という方法を用いて、新薬と区別のつかない偽薬を使用します。服用しているのが新薬か偽薬かは、患者自身に知らされていないだけでなく、処方している医師にもわからないように試験されます。その結果、新薬と偽薬の効果に明らかな差がある場合に、新薬として認可されます。

- 睡眠薬は、不眠の種類（入眠困難・中途覚醒・早期（早朝）覚醒・慢性ストレスによる不眠）によって、使い分ける。

用語解説

- ★1　耐性：連用によって同じ効果を得るために必要な薬剤の量が増えてしまうこと
- ★2　振戦：筋肉の収縮・弛緩が繰り返されて起こる意志によらない運動
- ★3　催奇形性：生物（胎児）の発生段階で奇形を生じさせる性質・作用
- ★4　偽薬：プラセボまたはプラシーボともいう。本物の薬のように見えるが、薬効成分は入っていないもの
- ★5　二重盲検法：薬や治療法などの性質を、医師（観察者）からも患者からも不明にして行う検査方法

Step 3
理解度チェック

問1 面接に関する次の文章で正しいものには○を、間違っているものには×を解答欄に記入してください。

[ ]（1）初回の面接で、うつ状態がみられる場合は、自殺したい気持ちの有無に注意する。
[ ]（2）主訴は本人の偏見が入っているため、聞き入れないようにする。
[ ]（3）家族関係などは、治療に関連することもあるため、必要に応じて尋ねる。
[ ]（4）本人の外見は、治療者が偏見をもちやすくなるためできるだけ無視するようにする。
[ ]（5）精神科の初期の治療で行う面接では、本人の話に聴き入り、本人の困っていることを整理する。

問2 次の文章で正しいものには○を、間違っているものには×を解答欄に記入してください。

[ ]（1）神経症では、薬物療法も行うが、精神療法も重要である。
[ ]（2）統合失調症は、うつ病と比べて病識をもちにくい。
[ ]（3）メンタル疾患の治療の一環として、看護師が訪問看護を行うこともある。
[ ]（4）メンタル疾患では、薬物療法が不可欠なものも多い。
[ ]（5）メンタル疾患で入院中に行う代表的なリハビリテーションとして、デイケアがある。

問3 メンタル疾患を抱えた人の話を聴く際に注意すべき点として、間違っていると思われるものを1つ選び、解答欄に記号を記入してください。

A. その人が話したことに同意することが大事である。
B. 感情移入しすぎると冷静な判断ができなくなる恐れがあるため注意する。
C. よいアドバイスをしようと焦らないことが大切である。
D. 時間や効率のよさにこだわるより、相手の気持ちに寄り添うことを大切にする。
E. 話を聴くときは、聴き入る姿勢が大切である。

[　　　　]

Step 3
理解度チェック 解答と解説

問1

(1) 解答：○
(2) 解答：×
解説：主訴は治療の鍵となる本人の本音が隠れていることが多いため、しっかりと聴く必要があります。
(3) 解答：○
(4) 解答：×
解説：身なりや服装にさまざまな情報が隠れていることもあるため、気づいたことは記録しておく必要があります。
(5) 解答：○

問2

(1) 解答：○
(2) 解答：×
解説：統合失調症には病識をもちにくいという特徴がありますが、病識をもちにくいのはうつ病も同様です。
(3) 解答：○
(4) 解答：○
(5) 解答：×
解説：デイケアは、基本的に外来患者を対象としています。入院中は作業療法などを行います。

問 3

解答：A

解説：同意できないことには同意せず、理解や共感をするように努めることが大切です。

memo

Part 3

こころの病って、どんなものだろう？

―主なメンタル疾患の基本と対応を知ろう―

Step 1-1
基本的なメンタル疾患

メンタル疾患には、神経症、恐怖症はじめ、さまざまなものがあります。疾患をひとくくりにせず、各疾患に応じた適切な対処法・治療法の知識を身につけることが大切です。

 1. 神経症の基本知識

　神経症は、ストレスや性格などの心理的な原因（心因）によって、不安感、恐怖感、緊張感などの症状が出現するメンタル疾患です。ICD-10（Part 2 Step 3-2参照）では、**神経症性障害**[★1]と呼ばれています。また、主な症状として不安が現れるものは、DSM-5（Part 2 Step 3-2参照）では、**不安障害**[★2]、強迫性障害と関連障害などに分類されています。

　神経症は、従来、心因性のメンタル疾患と考えられていました。しかし近年、神経症と関連のある遺伝子が発見されたり、特定の薬物が神経症の症状に特異的な効果を示すことなどから、生物学的な基盤があることが明らかにされつつあります。

　神経症では、本人の人格は保たれ、病気の自覚があります。ただし、症状の程度が強かったり、持続期間が長かったりするために、強い苦痛を感じ、生活に支障をきたすようになります。

　神経症になりやすい性格として、些細（ささい）なことにこだわりやすい、葛藤（かっとう）や不満を抑え込みやすい、他人の評価を過剰に気にしやすいなどの傾向が挙げられます。このような性格傾向は、生まれながらの素質に、こころが発達する段階で受けた心理的な影響が加わって形成されると考えられています。さらに、神経症になりやすいできごとを経験して発症する

と考えられています。また、健康的な防衛機制のはたらきがうまくいかないときに、発症したり悪化したりします。

2．恐怖症の基本知識

　恐怖症とは、通常では危険とみなされない状況に対して、病的に強い不安感や恐怖感を感じる症状です。また、ある程度の危険に対して、過剰に不安感や恐怖感を抱くものも含まれます。高所、閉所、暗闇、感染（HIVなどのウィルスや大腸菌などのバクテリア）、血液などに対して、過剰な不安感や恐怖感を抱きます。代表的なものに、次の2つがあります。

a．広場恐怖

　助けを得られないと感じる広い空間や、囲われていて逃げられない空間に対して恐怖を抱いてしまうものです。パニック発作（Step 2-1参照）を伴うものもあります。

b．社会恐怖

　人前に出ることに対して恐怖を抱くものです。大勢から少人数まで、恐怖を抱く人数はさまざまです。このうち、少人数に恐怖を抱くことを**対人恐怖症**といいます。対人恐怖症は、特に日本で多くみられる神経症であり、日本特有の恐怖症だとする精神医学者もいます。

- 神経症は、心因により不安感、恐怖感、緊張感などが出現する。
- 神経症の1つである恐怖症には、広場恐怖、社会恐怖がみられる。
- 社会恐怖のうち日本に最も多いのは、対人恐怖である。

用語解説

★1　神経症性障害：ノイローゼなどの神経症であり、ストレス関連障害、身体表現性障害などとも呼ばれる。パニック障害（不安神経症）、強迫性障害（強迫神経症）、恐怖症などの症状がみられる
★2　不安障害：DSM-5への改訂で、強迫性障害と関連障害、心的外傷およびストレス因関連障害は別のカテゴリーとなった

Step 1-2

うつ病の基本

うつ病は、今でこそ知られたメンタル疾患ですが、昔は、怠け病ともいわれ、なかなか理解されませんでした。うつ病をとりまく問題、疾患の原因と特徴を学びましょう。

1．うつ病の問題

　厚生労働省「患者調査」によると、うつ病等の気分障害の総患者数は、近年、150万人を超えています。これまで100人に3〜7人がうつ病を経験しているともいわれます。「患者調査」結果の推移をみると、うつ病患者は著しく増加傾向です。ニュースや報道などで「うつ病が増えた」と強調されることもあります。ただし、この数字は、うつ病についての認識が広がって受診する人や機会が増えていることや、うつ病の診断基準の解釈が広がっていることなどの影響もあり、うつ病の患者が単純に増加している、といいきれるものではないようです。それでも、うつ病は、子どもから高齢者まで、だれでもかかり得る病気であるということはいえるでしょう。

　男性より、女性のほうがうつ病になりやすいとされています。その理由の1つに、女性には、ホルモンと関連した特有のストレスが起こりやすいことが考えられます。特に、月経前、産褥期（産後約8週間）、更年期などでは、女性ホルモンの崩れによる心身の不調が現れやすく、抑うつ感などさまざまな精神症状も出現します。また、老年期はさまざまな喪失体験により、うつ病を発症しやすいといわれます。

　うつ病では、症状のひとつに「自殺念慮」がみられ、自殺対策が大きな課題とされてきました。

「病気の悩み・影響（うつ病）」を原因・動機とする自殺は、近年減少傾向にあるものの、「健康問題」の中では最も多く、原因・動機が特定されている自殺の約3割を占めています。

ただし、自殺には多様かつ複合的な原因・背景を有するものであることが知られており、うつ病の早期発見、早期治療を始めとする対策はもちろん、複雑に絡み合っている社会的要因を含めたさまざまな問題に対しての働きかけが求められます。

2．うつ病の原因

a．誘因

うつ病の80％以上は、何らかの誘因があります。誘因は、**状況因**とも呼ばれ、異動、転勤、昇格、転居、離婚、結婚、病気など、職場や家庭での大きなできごとや、環境の変化をきっかけとして発症します。また、過度な飲酒やアルコール依存症も、うつ病の誘因といわれています。職場などの慢性的なストレスや軽度のうつ状態をアルコールで発散させ続けると、自殺に至るリスクが上がるといわれています。

これらのできごとは、うつ病の直接的な原因ではありません。うつ病の原因は、まだ研究途上であり、発病の原因は特定できないことが多いのです。したがって、発症したあとで環境を元に戻しても、うつ病はよくなりません。

環境を変えて過重なストレスの原因を取り除くことで症状が改善する場合は、うつ病ではなく、適応障害が疑われます（Step 2-2参照）。うつ病は、**よいことでも悪いことでも生活上の大きな変化を伴うこと**、あるいは、**慢性的にストレスを感じるような状況**も誘因となります。誘因の多くは、日常生活のなかで誰にでも起こりうることです。このため、一般に、誘因を回避することが困難な場合が多く、自殺を図って初めてうつ病と診断されるような事態にもなります。

b．生物学的要因

うつ病では、脳内の神経伝達物質★1という化学物質による情報伝達の不良によって起こると考えられています。神経細胞同士の間にはシナプス★2というすき間があります。情報伝達は、一方の神経細胞から神経伝達物質が分泌され、もう一方の神経細胞の受容体で受け取ることで成り立っています。セロトニンとノルアドレナリンという物質が不足していたり、うまくはたらいていなかったりすることが、抑うつ症状と深い関連があると考えられています。つまり、うつ病の症状は、脳という臓器の神経伝達物質の障害によるものであり、気のせいではないということです。

なお、うつ病になりやすい性格（病前性格）については、Part 1 Step 2-2を参照してください。

c．アルコール依存

一般に、アルコール依存症の多くは、うつ病を経験するといわれ、うつ病とアルコール依存症は、しばしば合併します。また、うつ状態は、飲酒によって悪化するため、注意が必要です。

アルコール依存症を診断する検査として、CAGEスクリーニングテストがあります。次の4つの質問のうち、2つまたは3つ当てはまる場合はアルコール依存が疑われ、4つすべてに当てはまる場合はアルコール依存症とされます。

---

①飲酒の量を控えたほうがよいと感じたことがあるか（Cut down）
②人から飲酒について非難されて、いらだちを感じたことがあるか（Annoyed by criticism）
③飲酒に対して不快感や罪悪感を覚えたことがあるか（Guilty feeling）
④落ち着くためや二日酔いをのがれるために、朝起きてから飲酒をしたことがあるか（Eye-opener）

3．うつ病の主な症状

a．精神症状

　うつ病では、抑うつ症状として、抑うつ気分、意欲低下、不安感、焦燥感、無気力、集中力の低下、判断力の低下、興味の低下、喜びの低下、悲哀感、自責感、罪悪感、自殺念慮、自殺企図などがみられます。自殺企図は、いったん抑うつ症状がよくなりかけたときに現れることが多いとされます。なお、抑うつ症状のときは、表情が暗く笑顔がみられず、会話や行動のテンポが遅くなります。これらの抑うつ症状が２週間以上続くと、うつ病と診断されます。

b．抑うつ気分の特徴

　うつ病の抑うつ気分では、環境や状況ではあまり変化しません。つまり、うれしいことや楽しいことがあっても、症状は改善しないのです。むしろ、気分がよくなるはずのことに、まったく気分が乗らず、さらに落ち込むことになります。**普段楽しめていることが、どのくらい楽しめないか**により、抑うつ気分の程度を知ることができます。たとえば、抑うつ気分を強く訴えている人が、趣味のゴルフは早朝から元気に楽しめるという場合は、うつ病としても軽症と考えてよいでしょう。失恋をしたり、仕事で失敗したときは、誰でも気分が落ち込みます。しかし、通常よりも落ち込みが長く、身体症状を伴うようであれば、単なる落ち込みではなく、うつ病の可能性が高くなります。

　うつ病の抑うつ気分は、朝に最も悪く、時間とともに緩和し、夜にはよくなるというパターンを示すことが多いです。これを、**気分の日内変動**といいます。明らかな日内変動があるのは、内因性のうつ病の特徴です。

c．妄想の特徴

　重症のうつ病では妄想が出現します。うつ病の３大妄想として、**心気妄想、貧困妄想、罪業妄想**があります（Part 2 Step 1-2参照）。

d．身体症状

うつ病では、さまざまな身体症状も出現します。睡眠障害、食欲低下、倦怠感、疲労感、めまい、頭痛、頭重感、肩こり、胃痛、腹部膨満、微熱、性欲減退などです。

うつ病の睡眠障害では、寝つきは悪くないのですが、3時間も経たないうちに目が覚めてしまいます。その後も眠りが浅く、長く床に就いていても疲れがとれません。つまり、入眠困難よりも、中途覚醒、早朝覚醒、熟眠障害などがみられるのが特徴です。

食欲低下では、必ずしも体重が減少するのではなく、義務的に食事をするため体重が減少しない場合もあります。反対に、抑うつ気分を強く訴えている人が、熟睡できて食欲旺盛である場合は、うつ病ではないと考えてよいでしょう。

身体症状が主体で、抑うつ気分などの精神症状がめだたないタイプを、**仮面うつ病**といいます。身体症状という仮面で、本来のうつ病がマスクされてしまった状態です。

- うつ病の患者数は、近年増加傾向にある。
- うつ病は、自殺の大きな原因であるとされている。
- うつ病は、誰にでも日常で起こりうるできごとなどが誘因となる。

用語解説

★1 神経伝達物質：モノアミン神経伝達物質と呼ばれ、セロトニン、ノルアドレナリン、アドレナリン、ヒスタミン、ドーパミン、アセチルコリンなどがある

★2 シナプス：神経細胞間または神経細胞と他種細胞間に形成され、信号（シグナル）伝達・情報伝達などの神経活動にかかわる接合部位またはその構造

Column 07　幸せのビジョンを整理する

　Column 06で「身の丈(たけ)の自分」を知ることを述べました。しかし、自分を正しく評価するといっても、何だか難しく、また、漠然としていて、一体どうしたらよいのかわからないかもしれません。まず、自分の欲求を明確化することから始めましょう。次のように進めます。

● **自分の幸せを書き出してみる**

　ノートに「幸せのビジョン」というタイトルで、どういうことに幸せだと感じるか、自分はどういう人でありたいか、自分はどういう幸せな将来をめざして生きていきたいかなどを書き出します。

● **幸せのビジョンを検討する**

　次に、ノートに書き出した幸せのビジョンは、本当にこころからの言葉かどうかを1つひとつ検討していきます。たとえば、「こうありたい」と望んで書き出したことについて、こころの度合いを量っていきます。すると、「そうだったらいいけど、そうでなくても、まあいいか……」「どうしてもなりたいわけじゃないけれど……」などというものも出てきます。

● **自分のこころの声を聴く**

　人は、自信がなかったり、過去の失敗を引きずっていたりすると、最初から夢がかなわなかったときの理由づけをするようになります（これを、失敗回避行動といいます）。潜在意識には想像以上の力があって、夢の実現に多大な影響を与えるという心理学者の説があります。これは、潜在意識は、夢を実現させる可能性を生む半面、不安や恐れの気持ちを現実にする可能性もあるということです。

　失敗回避行動がみられるビジョンには、潜在意識がマイナスに働いてしまい、そのビジョンの実現を阻んでしまいます。そこで、本当の自分のこころの声を聴いたうえで、自分なりの「幸せのビジョン」を明確化することが必要です。

Step 1-3

統合失調症の基本

統合失調症は、奇病ではありません。世界保健機関（WHO）によると、国や時代を問わず、100人に1人程度は罹患することがわかっています。また、治らない病気でもありません。

 ## 1. 統合失調症の問題

　統合失調症では、発症してから数年間、あるいは、病状が不安定なときに、自殺のリスクが非常に高くなります。「死ね」という幻聴に支配されたり、苦しい被害妄想から逃れたくなったりして、発作的に自殺します。病気や置かれている状況に深く絶望して自殺することもあります。統合失調症の自殺は、うつ病よりも大変予測が難しいといわれています。日頃から、現実を悲観的に見たり、孤立したりしないように、周囲がサポートする必要があります。

　なお、統合失調症は、決してめずらしい疾患ではありません。近年の薬物療法やリハビリテーション（社会復帰療法）の進歩により、症状の大幅な改善と社会生活への復帰が期待できる疾患です。治療を妨げるものは、多くの場合、周囲の偏見や無理解といえます。

 ## 2. 統合失調症の原因

　統合失調症では、脳内の神経伝達物質（ドーパミン）のはたらきが過剰であると考えられています。これは、ドーパミンのはたらきを遮断する作用をもつ薬が、統合失調症の症状を抑えることから推測されます。

　統合失調症の発症要因は、単一ではありません。遺伝的素因、性格

因、生育環境、誘因（状況因）など複数の要因が絡み合って発症します（Part 2 Step 3-1参照）。

（1）遺伝的素因

遺伝的素因は、病気が遺伝したものではなく、遺伝的に多少かかりやすい傾向のことです。同じ遺伝子をもつ一卵性双生児でも、一方が統合失調症にかかった場合の発症可能性は30〜60％です。また、統合失調症にかかった人の発症可能性は、子どもでは約15％、兄弟姉妹では約10％、孫では約3％といわれます。

（2）性格因

一般に、性格因には、非社交的、過敏、冷淡、鈍感、無頓着、臆病といった病前性格（Part 1 Step 2-3参照）があるとされています。しかし、性格も、上記（1）の遺伝的素因に影響を受けるため、性格を直せば発病を防げるというわけではありません。また、親の育て方が原因で発症する病気でもありませんが、虐待を受けたなどの過剰なストレスは、発症に関連していると思われるケースもあります。

3．統合失調症の主な症状

統合失調症は、中心となる症状から、破瓜型、妄想型、緊張型という3つのタイプに大別されてきました。それぞれ次のような特徴がありますが、いずれのタイプか判別できないケースもあります。統合失調症は、病気の経過によって症状が変化したり、複数の症状をもっていたり、症状は千差万別です。DSM-5では、3タイプに厳密に区別できないので、これらの類型の使用をやめることになりました。

> ・破瓜型……思春期に始まり、陰性症状が主体のもの
> ・妄想型……青年期から中年期に始まり、陽性症状が主体のもの
> ・緊張型……青年期に始まり、激しい陽性症状が主体のもの

　陽性症状とは、幻覚や妄想のようなめだった症状をいいます。また、陰性症状とは、感情の平板化や無気力のようにめだたない症状をいいます。陽性症状が激しいと、興奮や昏迷（こんめい）（緊張病性興奮または緊張病性昏迷）を伴い、緊急対処が必要となります。以下、それぞれの症状について見ていきます。

（1）陽性症状
a．妄想
　妄想の症状はさまざまですが、最も多くみられるのは、**被害妄想**です。嫌がらせをされている、悪いうわさを流されている、尾行されている、監視されている、毒を盛られる、当てつけをされる、陰謀がある、裏で手を回されているなど、いずれも根拠がないのに真実と確信してしまいます。
　自分と何ら関係がないできごとを、自分と深く関係があるかのように確信する妄想を、**関係妄想**といいます。関係が被害的な内容のものを、被害関係妄想といいます。
　また、明確な妄想ではなく、漠然と周りの雰囲気が変わったとか、不気味な感じがするというものを、**妄想気分**といいます。
b．幻覚
　幻覚の症状は、ほとんどが**幻聴**です。ばかにされている、脅迫されているなど、被害的な内容の幻聴が多いですが、励ましている、ほめているといった内容の幻聴もあります。幻聴の声の主もさまざまであり、一人の場合も多人数の場合もあります。幻聴の聴こえ方も、すれ違いざま

に、天から、電波に乗って、テレパシーでなど多様です。

なお、まれな症状ですが、幻嗅（げんきゅう）、幻味、幻視などもあります。

c．思考障害

自分の考えが自分の考えでないように感じる（自我障害）、自分の考えが抜き取られるように感じる（思考奪取）、思考が吹き込まれるように感じる（**思考吹入**）、自分の考えが周囲に伝わっているように感じる（**思考伝播**（でんぱ））などの症状がみられます。

また、思考が突然止まってしまう（**思考途絶**）、思考の関連付けがあやふやになる（**連合弛緩**（しかん））といった症状もあります。連合弛緩が悪化すると、無関係な考え同士を結びつける**滅裂思考**となります（Part 2 Step 1-2参照）。

d．させられ体験

行動面では、自分が他人に操られていると感じる（**作為体験**）などがあります（Part 2 Step 1-4参照）。

e．空笑・独語

不自然ににやにやと笑ったり（空笑）、意味不明のひとり言を言ったりします（独語）。空笑や独語は、幻聴や妄想に対して笑ったり返事をしている場合もあります。表情からその人らしさが失せ、ぎこちない硬い表情を示します。

（2）陰性症状

感情の平板化、無感情、無気力、意欲低下、自発性の低下、思考の貧困などがみられます。めだたない症状ですが、社会復帰を阻む大きな要因となります。悪化すると、何もしなくなり（**無為**）、引きこもり、人との交流を絶ちます（**自閉**）。

4．統合失調症の治療

　上記1で述べたとおり、統合失調症は、薬物療法やリハビリテーションにより、症状の大幅な改善が期待できます。以下に、治療のポイントを解説します。

（1）薬物療法

　統合失調症では、幻覚や妄想の改善後も、再発予防のために一定量の抗精神病薬を継続して服薬することが大切です。改善したからといって服薬をやめると、1年後には6割以上が再発するといわれています。特に、再発経験がある場合は、服薬し続けるほうがよいと考えられています。

　なお、急激な陽性症状が出るなど症状が悪化したときには、効果が早く得られる注射剤が用いられます。

（2）リハビリテーション

　統合失調症は、特に、リハビリテーションが重要です。なぜなら、陽性症状や陰性症状により生活や仕事に障害が生じ、社会生活から遠ざかるため、さらに障害が悪化していくからです。

　日常生活では、生活のしかたが全般的にうまくいかなくなります。買い物や料理、機械の扱いなどが苦手になります。仕事では持続力や集中力が低下し、複雑な手続きが伴う業務ができなくなります。意欲や興味の低下に加えて、応用力、想像力、学習能力、判断力、現実検討力など思考面での障害が原因で、疲れやすく、ミスをしやすくなります。人間関係でも、ものごとの微妙なニュアンスがわかりにくくなったり、話題に乏しくなり、人付き合いが苦手となります。

　これらの障害が周囲に理解されないと、本人は、ますます引きこもってしまい、社会生活上、必要な刺激を得るチャンスも失ってしまいま

す。本人に合ったペースで、ものごとにゆっくりと取り組むコツをつかめば、障害も少しずつ乗り越えていけます。

5．家族のサポート

　統合失調症は、外部からの刺激に過敏になるため、感情を出されると、相手が家族であっても重荷になります。本人のことを真剣に心配するあまり、つい厳しいことを言ったり、過干渉になりがちですが、こうした家族の感情表出（**家族感情表出**）が、統合失調症の再発率を高めることがわかっています。強い感情表現が再発のリスクを高め、批判的なことを言ったり、敵意を表したり否定的な関わりだけでなく、過保護で過干渉な対応も再発率を高めるといいます。

　本人に対し、「薬はいつまで飲む必要があるのか」「ごろごろ寝てばかりいると、かえってよくないのでは」など、答えに詰まるような発言も禁物です。こうした状況がストレスとなり、再発のリスクを高めます。

　家族感情表出の問題を解決するには、統合失調症についての家族教育が有効です。家族が統合失調症をよく知ることで、家族自身も心理的に非常に楽になれます。統合失調症という病気を受け入れ、回復過程をゆっくり温かく見守る姿勢が求められます。

> Point!
> ・統合失調症は決してめずらしい疾患ではなく、また、回復も見込まれる疾患である。
> ・統合失調症の治療には、薬物療法とリハビリテーションを用いる。

Step 1
理解度チェック

問 1 次のうつ病に関する文章で、正しいものには○を、間違っているものには×を解答欄に記入してください。

[ ]（1）うつ病の抑うつ気分は、状況によって大きく変化する。
[ ]（2）うつ病の抑うつ気分は、朝は最もよく、夜になると悪化することが多い。
[ ]（3）うつ病では、何らかの誘因があることが多い。
[ ]（4）うつ病では、誘因を取り除くと病状が改善することが多い。
[ ]（5）うつ病では、妄想が出現することがある。

問 2 次のうつ病に関する文章で、正しいものには○を、間違っているものには×を解答欄に記入してください。

[ ]（1）うつ病の発症率は、一般に男女差はないと考えられている。
[ ]（2）うつ病の人には、旅行など適度な気晴らしを勧めるとよい。
[ ]（3）うつ病の薬物治療では、主に抗うつ薬を用いる。
[ ]（4）環境を変えて過重なストレスの原因を取り除くことで症状が改善する場合は、うつ病ではなく神経症が疑われる。
[ ]（5）うつ病では、病状が改善してもすぐには薬物を中止しないほうがよい。

問 3 次の文章で、正しいものには○を、間違っているものには×を解答欄に記入してください。

[ ]（1）統合失調症の症状がなくなったときは、いったん薬物療法をやめて様子をみるのがよい。

[ ]（2）広場恐怖とは、公園など広い場所に恐怖を感じるものである。

[ ]（3）統合失調症では、必ず妄想がみられる。

[ ]（4）被害妄想は、主に統合失調症でみられる。

[ ]（5）うつ病での自殺企図は、いったん症状がよくなったときに現れることが多い。

問 4 次の統合失調症のタイプに関する文章について、[ ]にあてはまる語句を解答欄に記入してください。

・[①]型……青年期に始まり、激しい陽性症状が主体のもの
・[②]型……青年期から中年期に始まり、陽性症状が主体のもの
・[③]型……思春期に始まり、陰性症状が主体のもの

① [　　　　　]　② [　　　　　]　③ [　　　　　]

Step 1
理解度チェック 解答と解説

問 1

(1) **解答**：×
　　解説：うつ病の抑うつ気分は環境や状況で変化しないのが特徴です。

(2) **解答**：×
　　解説：朝に最も悪く、時間とともに緩和し、夜にはよくなるパターンが多いです。

(3) **解答**：○

(4) **解答**：×
　　解説：うつ病では、誘因を取り除いても症状は改善されません。

(5) **解答**：○

問 2

(1) **解答**：×
　　解説：うつ病の発症率は、女性のほうが高いという統計が出ています。

(2) **解答**：×
　　解説：旅行などの気晴らしも、うつ病の人には負担になります。

(3) **解答**：○

(4) **解答**：×
　　解説：環境を変えて過重なストレスの原因を取り除くことで症状が改善する場合は、適応障害が疑われます。

(5) **解答**：○

問3

（1）解答：×

　　解説：統合失調症は再発しやすいため、薬物療法は、年単位で継続することが望ましいです。

（2）解答：×

　　解説：広い場所だけに限らず、外出、旅行、人の多いところなどに恐怖を感じます。

（3）解答：×

　　解説：統合失調症の場合、妄想がみられるとは限らず、症状はさまざまです。

（4）解答：○

（5）解答：○

問4

解答：　①緊張　②妄想　③破瓜（はか）

memo

Step 2-1
パニック障害の事例と対応

Part 3 Step 2では、いくつかの主なメンタル疾患について、ケースとともに見ていきます。まずは、パニック障害のケースについて、疾患のポイント、特徴、治療、対応方法などを学びましょう。

 1．パニック障害の症状のとらえ方

パニック障害のケース

　28歳営業職のUさんは、地下鉄の車内で突然、息苦しさ、胸が締め付けられるような痛み、めまい、恐怖感などが起こり、途中の駅で降りてベンチで休みました。しかし、動悸、冷汗、めまいがひどく、意識がぼんやりとし、手足がしびれてベンチに倒れこんでしまいました。すぐに、駅員が救急車を呼び、Uさんは、近くの救急病院に搬送されました。そして、CT検査、血液検査、胸部レントゲン検査、心電図などの検査を受けましたが、Uさんに異常は認められませんでした。問診でも、仕事は少し忙しいとはいえ、特に悩みごとも思いつかず、体調や睡眠、食欲も良好でした。Uさんは、「ストレスのせいですよ」と説明をされて、救急病院から帰りました。

　しかしその後、Uさんは、電車に乗ると発作が起こるのではないかと心配になり、1駅ごとに電車を降りるようになりました。遅刻したり、電車に乗れずに欠勤するようになり、友人の勧めで精神科を受診しました。

（1）ケースのポイント

　救急病院で検査をした結果、Uさんには、息苦しさや胸の痛み、めま

いなどの身体症状を引き起こすような身体疾患は認められませんでした。しかしUさんは、いつまた同じような症状が出るかと考え、不安を覚えます。「ストレスのせい」と言われても、思い当たるような心理的な原因もないため、釈然としないまま不安は徐々に高まり、やがてUさんの生活に、支障をきたすようになりました。

(2) ケースの検討

　身体疾患がないのに、突然、息苦しさ、胸痛、恐怖感、動悸、冷汗などが出現しています。これらは、神経症の1つであるパニック障害の典型的な症状です。ストレスになるできごとからパニック発作が起きることもありますが、思い当たる要因がなくても発作が起きることがあります。パニック障害の発作では、不安感・恐怖感と、さまざまな身体症状とが短時間のうちに相互に増強し合います。たかぶった恐怖感をコントロールできなくなり、意識が遠のき、死の恐怖まで感じます。パニック障害で死に至ることはありませんが、少しでも身体疾患の疑いがある場合は、身体的な検査を行う必要があります。Uさんは、強い不安のため生活に支障をきたし、精神科を受診しました。しかし、救急病院での受診後すぐに、精神科医の診察も受けたほうがよかったでしょう。

2．パニック障害の治療と対応

(1) 疾患の解説

　パニック障害は、悩みごとやストレスが重なった場合だけでなく、何も心当たりがない場合にも起こります。対象のはっきりしない漠然とした不安感（**病的不安**）が、突然、出現します。そして、病的不安に伴って、めまい、動悸、息切れ、呼吸困難、窒息感、胸痛、胸部不快感、冷汗、震え、吐き気、腹部不快感などの身体症状も出現します。これを不安発作と呼びます。これらの身体症状に対して、さらに不安感が強まり

ます。すると、また身体が反応して、身体症状が強くなります。誰でも、強い不安や恐怖を感じれば、息苦しくなったり、胸が痛くなったりするものであり、この不安発作の反応自体は、正常と考えられます。

　しかし、強い不安と身体症状が短時間のうちに交互に増強し合うという悪循環から、本人は、恐怖感を覚えます。また、現実感がなくなったり、離人感（Part 2 Step 1-4参照）を覚えたりします。こうした症状が発作的に起こるので、一連の症状を、不安発作のなかでもパニック発作と呼ばれます。一度、パニック発作を経験すると、再び発作が起きるのではないかと不安を感じるようになります。これを、**予期不安**[*1]といいます。本人は、慢性的な予期不安のために外出を控えるようになり、仕事や日常生活に支障をきたし、自信をなくしてしまいます。

（2）疾患の治療
a．薬物療法
　薬物療法として、抗不安薬とSSRI（Part 2 Step 2-4参照）を、単剤使用あるいは併用します。抗不安薬は、パニック発作が起こりそうなときや、起こりそうな場所に行く前などに、あらかじめ内服しておくと、発作を抑えることが期待できます。SSRIは、予期不安の改善とパニック発作の予防の効果が期待できます。ただし、まだ、決定的な治療方法は見つかっていません。パニック障害は、うつ病を併発するケースが多いため、うつ状態がみられた場合、早めに抗うつ薬を使用します。

b．精神療法
　精神療法では、本人に、次のようなことをしっかり理解してもらいます。

- ・パニック発作が、身体の病気ではなく、不安感と身体症状の相互作用で起こる症状であること
- ・パニック発作で死に至ることはないこと
- ・薬物療法で予防あるいは軽快につながること

長期的には、自分の不安自体を受け入れたり、身体症状へのこだわりを少なくするような、自分の不安発作に関しての客観的な見方（洞察）を得られるように、医師や周囲の人が支持的かつ共感的な態度を示して、精神療法を行っていくことも大切です。認知療法や行動療法も、主治医と相談のうえで試してみる価値があります。

（3）対応上の注意点
a．パニック発作への理解を深める
　パニック発作は、本人にとっては大変恐ろしいできごとです。身体に異常がないとわかっていても、すぐには受け入れられないものです。パニック発作のときは、重い病気や死が頭をよぎることもあります。

　パニック発作は、電車の中など、閉鎖的な環境で起こることが多く、予期不安のために電車などに乗れなくなります。本人に対し、電車に乗れないことを責めたり、無理に電車に乗せようとすることは禁物です。

b．本人の気のせいにしない
　パニック発作は、知らぬ間に不安と身体症状の悪循環が起きた結果です。本人に対し、「気のもちようだ」「こだわるのが悪い」と言っても逆効果です。本人が気のもち方を意識して、なおさら予期不安が悪化したり、自分を責めたりするようになります。本人が、薬で快方に向かう、パニック障害では命の危険はないといった安心感を得ることが必要です。無理なく、徐々に行動範囲を広げることが、自信につながります。

> **Point!**
> ・神経症の1つであるパニック障害は、突然、不安感・恐怖感と、息苦しさ、胸痛などのさまざまな身体症状が出現する（パニック発作）。
> ・薬物療法で再発予防が可能だが、本人が疾患を理解する必要がある。

用語解説

★1　予期不安：パニック発作を経験したあと、「また、あの恐ろしい発作が起きるのではないか」という不安感が生じること

Step 2-2

適応障害の事例と対応

次に、適応障害のケースを紹介します。適応障害はうつ病と間違えられやすい神経症の1つです（Step 1-2参照）。疾患のポイント、特徴、治療、対応方法などを学びましょう。

 1．適応障害の症状のとらえ方

適応障害のケース

　43歳総務職のMさんは、元来、生真面目で責任感が強い性格でした。建築会社に入社して以来、現場監督の仕事をしてきましたが、人事異動により、管理職として総務に配属されました。しかし、総務では思ったほど現場での経験を生かせず、現場よりも会社側の意見を優先させるという、Mさんにとって不本意な仕事が多くなりました。また、総務部長は、部下の仕事ぶりを細かくチェックするタイプで、Mさんも仕事に何かと口を出されていました。

　1か月ほど経ち、Mさんは、気分の落ち込みを感じるようになり、仕事に集中できず、ときどきミスをするようになりました。

　気晴らしにと、夜中まで酒を飲みながらテレビを見るようになり、朝、起きられず、たびたび遅刻するようになりました。職場では、いらいらしたり、不機嫌になったりすることも増えました。しかし、休日は、家族と出かけたり、趣味のゴルフを楽しんだりしていて、比較的機嫌よく過ごしていました。

　ある日、Mさんは、妻に何かあったのかと尋ねられ、「仕事が合わない、会社を辞めたい」と打ち明けました。心配した妻が、知人の内科医

に相談したところ、精神科の受診を勧められ、Mさんを説得してメンタルクリニックを訪れました。

（1）ケースのポイント

　Mさんは、人事異動によって仕事内容や立場が大きく変わり、さらに、上司との人間関係もあまりよくないようです。抑うつ気分、集中困難などがみられ、飲酒しながら夜更かしをするようになりました。仕事上のミスや遅刻も増え、会社を辞めたいとも考えています。一方、夜更かしはしても朝遅くまでよく眠れ、休日は普段どおりに生活できているようです。

　しかし、会社を辞めることを考えたり、精神的にも疲弊していることから、妻の勧めでメンタルクリニックを受診しました。

（2）ケースの検討

　Mさんは、さまざまな抑うつ症状によって、仕事に支障をきたしています。Mさんの気分の落ち込みや集中困難などは、仕事が合わないことから受けるストレスによって起きている可能性もあります。状況的には元の職場に戻して欲しいとは言えないようです。しかし、今の仕事内容や上司では、これからうまくやっていく自信がもてず、さらにミスが増えることで飲酒が増えているのでしょう。行き詰った状況といってよいでしょう。

　Mさんのように、明らかな心的ストレスや社会的ストレスによって、抑うつ感や不安感が起きるメンタル疾患を適応障害といいます。ただし、適応障害の診断には、うつ病やパーソナリティ障害（人格障害）★1ではないことを確認する必要があります。

　Mさんの場合、異動後に症状が現れ、異動前の職場では良好な適応状態にあったと推測されるため、パーソナリティ障害ではありません。また、家族との外出やゴルフは楽しめており、仕事以外の場面では抑うつ

症状はあまりみられないようです。うつ病でみられる抑うつ症状は、状況によってあまり変化しないのが特徴です。Mさんの抑うつ症状は、心的ストレスや社会的ストレスに反応して生じたものと考えられます。さらに、Mさんは、生活が夜型となっていますが、寝つけば朝まで眠れています。うつ病は、寝つきは比較的よくても、早朝覚醒、中途覚醒、熟眠障害などがみられるのが特徴です。Mさんの場合、不規則な生活による二次的な睡眠障害といえます。うつ病では、食欲がない、味がしない、食事が楽しくないなどがみられます。睡眠と食事に大きな問題がなければ、Mさんのうつ病の可能性は低くなります。

2．適応障害の治療と対応

（1）疾患の解説

　適応障害は、非常によくみられるメンタル疾患です。診断基準では、大きな葛藤(かっとう)や不安を引き起こすようなストレス因子があった場合に3か月以内に症状が出現し、ストレス因子がなくなれば6か月以内に治癒します。

　症状には、抑うつ気分、不安、行為障害★2などを伴います。ストレス因子による短期間の不適応反応と考えられます。身体的な症状が出ても、うつ病の身体症状のような持続性はありません。ストレスの強さに応じて、頭痛、胃痛、倦怠(けんたい)感、不眠、吐き気などさまざまな不定愁訴★3を訴えることがありますが、ストレスがなくなれば症状は改善します。

（2）疾患の治療

　適応障害は、ストレス因子が直接的な原因のため、メンタル疾患のなかでは軽症とみなされがちです。しかし、適切な治療を受けなければ病気も重くなるため、治療により速やかに改善する必要があります。

　治療には、ストレス対処や職場の環境調整などをテーマにした精神療

法と、抗不安薬などによる薬物療法を用います。

a．精神療法

　診察を通して、自分の性格や行動パターンを振り返ります。そして、ストレス因子の意味、ストレス因子への対処法、ストレス耐性を高める考え方などについて、理解や洞察を得られるようにします。

　これにより、同様の状況になった場合に、より早い段階でストレス因子を軽くする行動が取れるようになり、発症前よりも状況に早く適応できるようになります。

b．薬物療法

　症状に応じて、抗不安薬、睡眠薬、抗うつ薬を用います。ストレス因子が持続的で強く、抑うつ症状が強い場合は、抗うつ薬も有効なことがあります。

（3）対応上の注意点

　適応障害の治療では、環境調整と周囲のサポートが不可欠です。本人の弱さや甘えが原因と思われるケースもありますが、本人がもっている本来の適応能力を引き出すには、まずは、支持的かつ共感的な態度で接することが大切です。

- 適応障害は、うつ病と間違えられやすい。
- 適応障害は、大きな葛藤や不安を引き起こすストレス因子によって発病する。

用語解説

★1　パーソナリティ障害（人格障害）：本人が属する社会・文化から期待されるものより、著しく偏った主観をもったり、偏った行動が持続されるもの。認知、感情、衝動コントロール、対人関係といったパーソナリティ機能の広い領域に障害が及ぶ

★2　行為障害：無断欠勤、無謀な運転、けんか、破壊行為など、年齢相応の社会的規範を無視することや、他人の迷惑になることをするもの

★3　不定愁訴：何となく体調が悪いという自覚症状を訴えるが、検査をしても原因となる病気が見つからない状態

Step 2-3
双極性障害（躁うつ病）・うつ病の事例と対応

躁病は、自分が病気であるという認識が乏しいため、社会生活・対人関係が破綻してしまうことが多くあります。また、うつ病は、病気によるものと自覚しないケースが多く、自殺企図など生命にかかわるメンタル疾患です。

 1．躁病の症状のとらえ方

> **躁病のケース**
>
> 　38歳ＯＬのＫさんは、腎盂腎炎と診断されて緊急入院しました。治療によって急速に回復しましたが、単身生活のため、退院後の再発を非常に心配していました。しかし、入院8日後に、突然、退院を告げられ、退院前夜はまったく眠れなくなりました。
>
> 　退院当日、Ｋさんは、早朝から、「インターネット外来と薬の宅配で、病院は5倍もうかる！」「私のアイデアで、この病院は有名になる！」などと、誰彼なく早口で話しかけ始めました。落ち着かせようとすると、上機嫌だったＫさんは、急に不機嫌になり、激怒しました。

（1）ケースのポイント

　腎盂腎炎の経過は良好ですが、退院に強い不安を抱え、眠ろうとしない断眠状態になっています。よくしゃべり、活発で、誇大的な思考や激怒などの態度が急激にみられています。精神が高揚してアイディアなどを語るときは機嫌がよいのですが、自分のことを批判されると不機嫌になり、激怒しています。

(2) ケースの検討

多弁多動、誇大的な言動、次々に考えが浮かぶ、尊大な態度、易変性（Part 2 Step 1-6参照）などは、典型的な躁病の症状です。Kさんのように、強いストレス（不安）や断眠などが起きると、躁病の誘因となることがあります。

2．躁病の治療と対応

（1）疾患の解説

躁病は内因性のメンタル疾患で、うつ病を伴うことが多いため、2つの症状をあわせて双極性障害（躁うつ病）といいます。躁病の時期（**躁病相**）は1か月前後と短く、うつ病の時期（**うつ病相**）は3か月から1年以上続くこともあります。躁状態では、表情は明るく、気分は爽快（爽快気分）で、よくしゃべりよく動きます（多弁多動）。気分が盛り上がり、態度は尊大、無遠慮、無神経、不遜となります。また、次々に考えが浮かび（観念奔逸）、次々に行動したくなります（行為心迫）。睡眠時間が短いのに、疲れず活動します。食欲は亢進しますが、活動量が多いため体重は減少しがちです。傲慢で万能感があるので、病気扱いされることに極端に反発します。また、興奮がひどくなると（躁病性興奮）、暴言や暴力がみられることもあります。

なお、誇大妄想の内容は、荒唐無稽とまではいえません。躁病では、統合失調症のような非現実的な内容の妄想はみられません。

（2）疾患の治療

治療には、気分調整薬★1として、炭酸リチウム、抗てんかん薬（カルバマゼピン、バルプロ酸ナトリウムなど）、抗精神病薬などを用います（Part 2 Step 2-4参照）。双極性障害（躁うつ病）は、再発しやすいため、症状が改善した後も数か月以上は服用します。

(3) 対応上の注意点

a．受診拒否への対応

　重症になるとまったく病識がなくなり、周囲が説得しても受診を拒否します。「眠らず活動しているとからだに悪いから、ストレスチェックのつもりで先生と話したらどうか」などと、客観的な意見を冷静に述べて、精神科を受診するようにします。

　躁状態では、本人の意識は明瞭(めいりょう)で、周囲に対して過敏になります。そのため、嘘(うそ)をついて病院に連れて行こうとしても、すぐに見抜いてしまいます。誠実な態度で、心配している理由を客観的に述べましょう。

b．問題行動への対応

　誇大的で過剰に楽天的なため、浪費が増えたり、電話、手紙、メールなどが異常に増え、社会的交流を過剰に望みます。躁病は1か月程度で落ち着きますが、借金など、本人の経済的損失や社会的損失を防ぐためにも、早期の治療が必要です。

 ## 3．うつ病の症状のとらえ方

うつ病のケース

　33歳SEのTさんは、3か月前に子会社に出向となりました。新しいプロジェクトのリーダーに抜擢(ばってき)され、生きいきと仕事をこなしていました。最近になって、過労のためか体調不良を訴えるようになり、集中力も欠け、たびたび遅刻するようになりました。このため、近くの内科を受診して精密検査を受けましたが、異常はありませんでした。

　上司が機会をつくって話を聞くと、Tさんは、仕事への自信がなく、よく眠れず、食欲もあまりなく、からだもだるいと訴えました。そこで、Tさんの業務量を減らしたところ、以前のように、積極的に仕事に取り組むようになりました。しかし、Tさんは、責任感の強さから、しだい

に残業が多くなり、疲れ気味で、ミスもみられるようになりました。上司はＴさんに、あまりがんばりすぎないよう声をかけました。

その２週間後、Ｔさんは、電車に飛び込もうとしたところを駅員に保護され、家族とともに精神科の救急外来を受診し、入院することとなりました。

（１）ケースのポイント

望ましいはずの異動の後に、体調不良、遅刻、自信喪失、不眠、食欲低下などがみられています。内科的な検査では異常はなく、上司が話を聞いて業務量を調整し、事態は一時改善されたようにみえました。しかし、実際には、短期間で自殺に至るまで悪化しています。

（２）ケースの検討

Ｔさんの症状から、典型的なうつ病が疑われます。子会社への出向とリーダーへの抜擢という２つの大きな環境の変化が重なったことが、うつ病の誘因となったと考えられます。

最初は軽度であったうつ状態が、徐々に中等度から重度に至ったと考えられます。本人も周囲もメンタル疾患を疑わないまま、結果的に自殺企図に及んでしまいました。Ｔさんは、幸い精神科的治療を受けることになりましたが、もっと早く精神科の受診を勧めるべきであったケースといえます。

 ## ４．うつ病の治療と対応

（１）疾患の解説

実際に自信を失うようなできごともなく、理由もなく抑うつ気分、意欲低下、集中困難などがみられるのがうつ病の特徴です。また、趣味などを楽しめなくなり、本来楽しかったできごとも負担になるなど、興味

や喜びをなくすのも特徴です。うつ病は、内科的な検査では異常は認められません。また、いったんうつ病になった場合、仕事の相談に乗ったり、業務量を減らしたりしても、病気自体は治りません。

（2）疾患の治療
a．治療の3本柱

うつ病は、多くの身体疾患と同じように、薬と休養で治す病気です。近年は、適切な薬物療法と十分な期間の休養によって、大半は元の状態に回復しています。そして、3つ目の治療として、精神療法（心理療法）があります。

うつ病では、本人の抑うつ症状が病気によるものと自覚しないケースが多いため、精神療法を通じて、うつ病についての知識を与えたり、抑うつ症状による認知の歪みの修正などを行います。

b．薬物療法

薬物療法は、抗うつ薬が主体となります。必要に応じて抗不安薬や睡眠薬が用いられます。強い不眠や妄想に対しては、抗精神病薬を用いることもあります。

抗うつ薬の効果は、1～4週間で現れ、徐々によくなっていきます。一進一退を繰り返しますが、焦らず、じっくりと治療を受けることが大切です。薬物が合っていれば3か月で大きく改善しますが、通常に働けるようになるには、さらに3～6か月かかるのが一般的です。

寛解（かんかい）（Part 2 Step 3-5参照）後も、少量の抗うつ薬を内服し続けたほうが再発率が低いため、数か月から1年あまりにわたって内服します。薬の減量や中止のタイミングは、主治医とよく相談します。本人の判断で薬物を減量や中止しないようにします。

不眠は、睡眠薬が合えば、処方を受けた当日から改善します。不眠の改善だけでも、抑うつ状態には非常によい影響があります。不眠はうつ病の1症状として出現するので、うつ病がよくなれば、睡眠薬も徐々に

不要になります。

また、抗うつ薬は、シナプス（Step 1-2参照）のセロトニンやノルアドレナリンを増やすはたらきによって、抗うつ作用を示すと考えられています。

c．休養

一般に3〜12か月の療養が必要です。きちんと服薬でき、十分な休養がとれるのであれば、外来で治療が可能です。ただし、自殺念慮、家庭環境の問題、身体的な問題、病識の欠如などがある場合は、入院治療が望ましいでしょう。

薬物療法は、効果を現すのにある程度の期間が必要になるため、焦らず、しっかりと休養することが大切です。本人が、何もしないことに罪悪感をもつようであれば、何もしないで休むことが真面目な療養態度であると説明しましょう。

d．精神療法

治療の基本である薬物療法と休養に並行して、精神療法も行います。一般的な支持療法[*2]に加え、認知療法、心理カウンセリングなどの心理療法を必要に応じて行います。また、診療を通じてうつ病について理解させ、再発しやすい状況を回避することや、再発のサインを見逃さないことも必要です。

なお、重症のうつ病では、意識はあるのに外界の刺激に反応できなくなることがあります（うつ病性昏迷）。また、自殺念慮や自殺企図がみられることがあります。うつ病性昏迷や自殺念慮、自殺企図がみられる場合は、電気けいれん療法（Part 2 Step 2-4参照）による治療が検討されます。

（3）対応上の注意点

a．励ましや気晴らしは禁物

うつ病に励ましは禁物です。うつ状態では、普段以上にがんばってい

るのに、普段以下のことしかできないため、さらにがんばろうとします。つまり、本人にとっては、最大限に力を出している状態です。そこで、がんばれと励ませば、もうこれ以上はできないと絶望させることになります。

　また、気晴らしを勧めることも禁物です。うつ状態では、普段なら楽しいはずのことも楽しめません。楽しむためのエネルギーが、不足しているからです。旅行を勧めると、楽しめない自分に、さらに落胆してしまいます。また、友人と会うことも、基本的に勧められません。うつ病に理解のある友人ならいいのですが、多くの場合、気疲れして抑うつ症状が強くなります。

ｂ．原因探しは避ける

　Step1-2でも述べたとおり、うつ病には、誘因（状況因）はありますが、原因はわかっていません。誘因も、精神的なものから身体的なものまでさまざまです。原因探しは、うつ病の治療にはなりません。本人を責める結果ともなり、うつ病をますます悪化させるだけです。

　ストレスをより強く感じやすい性格傾向が明らかな場合でも、その性格傾向は責められるべきものではなく、社会的にはむしろ望ましい特性といえます。心身の負荷が過剰にかかったときには、感じやすい性格傾向を少し緩めて問題に対処することが、本人を守ることになります。

ｃ．徐々に活動を始める

　病状がよくなってくると、徐々に退屈を感じるようになります。そこで、少しずつ活動を始めますが、疲れたらすぐにやめられることから手をつけることが大切です。そのときどきで、本人に合ったペースを守りながら、ストレスや疲れをためないうちに休息をとります。

ｄ．うつ病について知る

　うつ病についてよく知り、うつ病による症状を客観的にとらえることも大切です。うつ病は、病識をもちにくいといわれていますが、うつ病に関する理解を深めれば、病識をもつことも可能です。病識によって、

抑うつ気分や意欲低下が本人の努力不足や性格のせいではなく、病気だからであることを、客観的に認識することができます。その結果、抑うつ症状への対処能力を高めることができるのです。

e．本人の性格を知る

几帳面、生真面目、責任感が強い、完璧主義、頑張り屋などは、などは、社会的に望ましい性格です。しかし、これらの性格が強すぎると、ストレスとなるできごとに対して必要以上の負担を感じてしまいます。したがって、本人の性格が本人自身に過度の負担をかけることがあることを、知っておく必要があります。

> Point!
> ・躁病は、しばしばうつ病を伴うことから双極性障害（躁うつ病）と呼ばれる。
> ・躁病の特徴は、爽快気分・多弁多動・観念奔逸などがある。
> ・躁病は、病識が乏しいために、予後の社会生活に不安が残る疾患である。
> ・うつ病の特徴は、「抑うつ気分」と「興味・喜びの喪失」である。
> ・うつ病は、病気と自覚しないことが多く、自殺企図に至るなど悪化しやすい。
> ・うつ病は、内科疾患と同様に、薬と休養で治す病気である。

用語解説
★1　気分調整薬：気分を安定させ、気分の波を抑える薬
★2　支持療法：疾患のある患者の生活の質（QOL；Quality of Life）を改善するために行われるケア

Step 2-4
統合失調症の事例と対応

破瓜(はか)型は、思春期に発症することが多く、通常みられる思春期特有の悩みと区別がつきにくい特徴があります。妄想型は、20代後半から40代の働き盛りの時期に発症し、社会生活を持続するため適切な治療が必要です。

1. 破瓜型統合失調症の症状のとらえ方

破瓜型統合失調症のケース

　21歳男性のOさんは、もともと内向的で人見知りをする性格でした。高校2年生の秋頃から学校の成績が少しずつ悪くなり、学校も休みがちになりました。高校は何とか卒業できましたが、大学受験は失敗して、浪人生となりました。その後は、自宅で受験勉強を続けました。

　Oさんの両親は、受験期の悩みを抱えているのだろうと気遣い、激励は控え、温かく見守るように努めました。しかし、Oさんの成績はさらに下降し、結局、2回目の浪人が決まりました。両親はOさんに、専門学校への進学やアルバイト探しを勧めました。ところが、Oさんは、他人と会いたくない、人の視線が怖いと言い、自室にこもるようになりました。部屋は散らかしたままになり、入浴もしなくなりました。かかりつけの内科医に相談したところ、精神科の受診を強く勧められ、Oさんは、両親とともに大学病院の精神科を受診しました。

（1）ケースのポイント

　成績低下、浪人、引きこもりなどは、思春期から青年期に起こりがちなことです。また、大学受験や進路のことで悩むのは、誰にでもあるこ

とです。Oさんがもともと内向的な性格であったということもあり、Oさんの両親も、受験期の悩みのためだろうと、Oさんを刺激せずに温かく見守っていました。温かく見守ることは大事ですが、Oさんが学校を休むことについて、「はれものに触る」感覚で黙認していたとも思えます。家族できちんとコミュニケーションをとってはいなかったようです。

そして、Oさんは、人の視線を怖がるようになり、部屋を汚したままにし、入浴もしなくなってしまいました。この時点になって、通常の悩みの範囲を超えた問題と両親も気づき、精神科を受診しました。

(2) ケースの検討

破瓜とは、思春期をさし、破瓜型の多くは、思春期に発症します。Oさんのケースも、破瓜型の統合失調症と考えられます。

統合失調症は、幻覚や妄想のような際立った症状だけではなく、感情の変化が乏しくなる、自発性が低下するといった、あまりめだたない症状から始まることもよくあります。幻覚や妄想のような症状を**陽性症状**、感情鈍麻（Part 2 Step 1-3参照）や自発性の低下のような症状を**陰性症状**と呼びます。破瓜型は、陰性症状が主体の統合失調症です。ただし、破瓜型でも、幻覚や妄想が活発にみられるケースもあります。

成績低下、登校拒否、引きこもりなどは、背後にメンタル疾患が隠れていることがあります。Oさんの場合、成績が低下した時点で、統合失調症を発症していたと思われます。自宅へ引きこもるようになっていることから、メンタル疾患の可能性を少しでも考えるべきでした。

2．破瓜型の統合失調症の治療と対応

(1) 疾患の解説

思春期や青年期は、アイデンティティ（自我同一性）★¹の模索と確立という心理学的・精神医学的に大変重要な発達課題を乗り越える時期で

す。表情、態度、言動などの変化はもちろん、成績、趣味、友人関係などで明らかな変化があれば、何らかの病的な原因によるものと考える必要があるでしょう。

（2）疾患の治療

　身近な家族が本人の心身の異変に気がついた場合、本人には様子見をせずに、スクールカウンセラーや保健所の精神保健相談員などに、状況について早期に相談することが大切です。

　世代特有の問題なのか、メンタル疾患の問題なのかは、初期段階では、専門家でも判断がつかないことがあります。診察によって、メンタル疾患がどのくらい関与しているかを明らかにする必要があります。

（3）対応上の注意点

　統合失調症は、神経伝達物質（ドーパミン）のはたらきが過剰となり、神経過敏となった状態です。本人は、些細(ささい)なことで緊張し、疲れやすくなっています。自室に引きこもるのは、人付き合いを拒絶しているのではなく、過剰な刺激で疲れることを避け、安心できる環境で交流したいからであることを理解しましょう。

3．妄想型統合失調症の症状のとらえ方

妄想型統合失調症のケース

　44歳主婦のMさんは、心身ともに健康な人でした。パートタイムで事務職に就いていましたが、職場で自分を悪く言う人がいると、夫に相談するようになりました。隣の部屋や廊下からひそひそと「ばか」「ぐず」などと自分の悪口が聞こえるということでした。家事は問題がなかったので、夫は、Mさんの様子を見ていました。

やがて、Mさんは、「盗聴器をしかけられている」「近所の人に監視されている」と言うようになりました。寝不足で食欲もないため、夫は、ストレスがたまっているようだから相談に行こうとMさんを説得して、近くのメンタルクリニックを受診しました。

(1) ケースのポイント

　Mさんにはメンタル疾患の既往歴はなく、家事と事務職をこなしていました。しかし、職場で悪口を言われていると言い出しました。夫は様子を見ましたが、「盗聴器」や「監視」といった現実離れした言葉が聞かれるようになりました。単なる職場での人間関係のトラブルだけではなさそうです。人間関係のストレスによる症状かもしれませんが、睡眠や食欲にも影響が出ています。幸い、Mさんは、不眠や食欲低下をきっかけに、メンタルクリニックを受診することになりました。

(2) ケースの検討

　Mさんの症状は、妄想型の統合失調症と考えられます。妄想型は、統合失調症のなかでも、20代後半から40代と発症年齢が遅く、幻覚や妄想が主症状です。職場での悪口は、幻聴と思われます。盗聴器が仕掛けられている、監視されているといった発言は、被害妄想の症状です。しかし、幻覚や妄想があるとき、病気だからメンタルクリニックを受診しようと言っても、Mさんは拒否したでしょう。Mさんに病識がなくても、納得できる困った点（不眠や食欲低下）を足がかりに、医療機関の受診へと結びつけていくことができるのです。

4．妄想型の統合失調症の治療と対応

(1) 疾患の解説

　妄想型の統合失調症は、適切な治療が早期に行われれば、他の型に比

較すると予後は良好といえます。発症後も本人の人格が保たれることが多く、通常の社会生活が送れることもよくあります。ほとんどの場合、本人に病識がないため、対応方法の工夫が重要です。

（2）疾患の治療

経過を通じて、抗精神病薬を中心とした薬物療法を行います。特に、幻覚や妄想に対しては、薬物療法は不可欠です。できるだけ早期に薬物療法を開始したほうが、病状の悪化、自殺の恐れ、症状の再発が少ないといわれています。長期的には、機能回復や再発予防のためにリハビリテーションを行います。

（3）対応上の注意点

幻覚や妄想が現実でないことを説得したり、批判したりしても、まったく無意味です。幻覚や妄想は、本人にとっては真実であり、否定すれば、自分を理解していないと感じるだけです。幻覚や妄想が病気であるという病識もないため、メンタル疾患であると言っても、本人は納得しません。幻覚や妄想に対しては、症状を抱えた本人の気持ちを理解して、一緒に解決する協力者となるようにします。

しかし、病気や本人を理解することは難しかったり、接し方がわからなかったりするものです。統合失調症患者の家族会が、病院、保健所、地域など、さまざまなところにあります。家族会に参加して、同じような境遇の家族と情報交換をしたり、気持ちを分かち合うことも、本人の回復につながるはずです。

> Point!
> ・破瓜型統合失調症は、めだたない症状から始まることがあり、気づきにくい。
> ・妄想型統合失調症は、幻覚や妄想が主症状であるが、早期に薬物療法を行うと、予後が良好になるといわれる。

Column 08　カウンセリングに必要な誠実さ

　カウンセリングに必要な態度は、誠実さ、受容のこころ、共感的理解の3つです（Part 4 Step 2-1参照）。どれもひと言で言うほど実行するのは簡単なことではないのですが、特に、誠実さについては誤解もあるようです。

　誠実という言葉は、日常的によく使われます。また、誠実と聞くと、こころのあり方の手本のような響きがあります。ところが、「誠実とは何か」と尋ねてみると、皆それぞれに自分なりの意味をもっていて、いろいろな答えが返ってきます。たとえば、「人に対して誠意をもって接すること」「真摯で真面目な態度を示すこと」「自分を飾らないこと」「まごころで接すること」などです。これらの答えに異論はありません。しかし、クライエントに対して誠意をもつこと、真摯で真面目な態度を示すことなどは、プロとしては当然のことです。それではなぜ、あえてカウンセリングの心得として取り上げられているのでしょうか。つまり、ここでいう誠実さは、一般に使われている言葉の意味とは少し違うということです。

　誠実という字は、「誠(まこと)」に「実(真実)」と書きます。そもそも誠実とは、嘘(うそ)をつかないという意味なのです。つまり、カウンセラーに必要な態度の誠実さとは、クライエントに対して「嘘・偽りがないこと」と言い換えてもいいでしょう。

用語解説

★1　アイデンティティ（自我同一性）：自分は何者であり、何をなすべきかという概念。「自分探し」とも呼ばれる

Step 2
理解度チェック

問 1 次のパニック障害についての文章で正しいものには○を、間違っているものには×を解答欄に記入してください。

[　]（1）パニック発作は、動悸（どうき）や息苦しさなどの身体症状が中心である。

[　]（2）パニック発作は、身体的には異常はないため、血液検査や頭部CT検査を行う必要はない。

[　]（3）パニック発作では、「このまま自分が死んでしまうのではないか」という恐怖がよくみられる。

[　]（4）パニック障害の治療には、抗うつ薬や抗不安薬を用いる。

[　]（5）パニック発作を恐れて出現する不安を、分離不安という。

[　]（6）パニック障害は、なるべく薬物に頼らずに治療したほうがよい。

問 2 次の適応障害についての文章で正しいものには○を、間違っているものには×を解答欄に記入してください。

[　]（1）適応障害では、ストレスによって不安感や抑うつ感を引き起こす。

[　]（2）適応障害は、ストレスの原因がなくなれば改善する。

[　]（3）適応障害は、早朝覚醒や熟眠障害などの不眠が特徴的である。

[　]（4）適応障害のうつ状態に対して抗うつ薬を用いることがある。

問3 次の躁(そう)病についての文章で正しいものには○を、間違っているものには×を解答欄に記入してください。

[　]（1）躁状態では、病識がないことが多い。
[　]（2）躁状態は、3か月以上続くことが多い。
[　]（3）躁状態では、怒りっぽくなることは少ない。
[　]（4）躁状態は、入院治療は必要でないことが多い。
[　]（5）躁状態の再発防止には、薬物療法が必要である。

問4 次のうつ病についての文章で正しいものには○を、間違っているものには×を解答欄に記入してください。

[　]（1）うつ病の抑うつ気分は、朝に最も強くなることが多い。
[　]（2）うつ病は、重症になると妄想が出現する。
[　]（3）うつ病は、環境を変えると軽快することが多い。
[　]（4）うつ病では、寝付きはよいがすぐに目が覚めてしまうことが多い。
[　]（5）よいできごとがきっかけでうつ病になることはない。
[　]（6）うつ病は、日本人の1％程度にみられる。
[　]（7）うつ病には、電気けいれん療法はほとんど行われない。

問5 次の統合失調症についての文章で正しいものには○を、間違っているものには×を解答欄に記入してください。

[　]（1）統合失調症の妄想は、薬を飲むとすべて消えることがある。
[　]（2）統合失調症の幻聴は、ほとんどが悪口や罵倒である。
[　]（3）統合失調症では、自殺の恐れは少ない。
[　]（4）成績低下や不登校が統合失調症の初期症状のことがある。
[　]（5）統合失調症の原因は、脳内の神経伝達物質の異常と推定されている。

Step 2
理解度チェック 解答と解説

問 1

(1) 解答：×
　　解説：パニック発作では、さまざまな身体症状と同時に、強い不安感や恐怖感などの精神症状が出現します。

(2) 解答：×
　　解説：パニック障害が疑われても、検査により、身体的疾患がないことを確認する必要があります。

(3) 解答：○

(4) 解答：○

(5) 解答：×
　　解説：パニック発作を恐れて出現する不安を、予期不安といいます。

(6) 解答：×
　　解説：パニック障害に有効な薬物も開発されているため、薬物治療と精神療法を並行して行うほうがよいです。

問 2

(1) 解答：○

(2) 解答：○

(3) 解答：×
　　解説：適応障害では、早朝覚醒や熟眠障害などの不眠ではなく、入眠困難が特徴的です。

(4) 解答：○

問 3

(1) 解答：○

(2) 解答：×
解説：躁状態が続くのは、1～2か月のことが多いです。

(3) 解答：×
解説：躁状態は、上機嫌であっても、尊大な態度で、思いどおりにならないと激怒することがあります。

(4) 解答：×
解説：躁病では、社会的信用を失うような行為に及ぶことも多く、行動を制限する目的で入院を必要とすることもあります。特に、借金や浪費などは問題であり、入院が必要です。

(5) 解答：○

問 4

(1) 解答：○

(2) 解答：○

(3) 解答：×
解説：うつ病は、環境を変えると、むしろ新たなストレスとなり、悪化する危険性があります。ただし、本人にとって居心地のよい環境に変更できれば、治療がよりスムーズになることは考えられます。

(4) 解答：○

(5) 解答：×
解説：良し悪しに関係なく、生活上の大きなできごとがうつ病の誘因となることが多いです。

(6) 解答：×
解説：厚生労働省の「患者調査」によると、うつ病は日本人の3～7％にみられるといいます。

（7）解答：×

解説：自殺の恐れが強い場合やうつ病性昏迷の場合などには、電気けいれん療法を行います。

問 5

（1）解答：○
（2）解答：×

解説：統合失調症の幻聴は、被害的な内容が多いですが、ほめたり励ましたりする内容の幻聴もあります。

（3）解答：×

解説：統合失調症は、うつ病に次いで自殺の多いメンタル疾患です。

（4）解答：○
（5）解答：○

memo

Column 09　クライエントの嘘(うそ)

　クライエントは、実にさまざまな嘘をつきます。自分のことを正しく伝えなかったり、ある部分だけを上手に隠して話をしたりします。何かを隠して言わないことも一種の嘘であり、そこに問題の核心があったりして、やっかいなものです。そもそもなぜ、クライエントは嘘をつくのでしょうか。

　クライエントの嘘は、道徳的に悪いこととされる嘘とは少し異なり、真実ではない・事実と違うということです。クライエントの嘘は、本人が意識しているいないにかかわらず、防衛機制（Part 1 Step 3-3参照）によることが多いのです。この防衛機制は、自分が自分につく嘘の一種です。防衛機制がはたらくことにより、こころは、実に巧妙な技で自分に嘘をつきます。このため、人間は、誰もがある意味で自己中心的なものの見方しかできません。たとえば、自分にとって望ましい結果は自分の成果だと思うのに対して、望ましくない結果は他人や自分以外の事柄のせいだと思うのです。

　また、何か問題を抱えたとき、その問題について脳の中で２つ以上の考えが同時進行し、Yesかnoかが判断できないときがあります。そして最後には、どちらかに決定しなくてはならない局面に達すると、防衛機制がはたらき、片方が片方を（たとえば、YesがNoを）だまします。これは、精神の均衡を保つために自分で意識しないうちにこころが行う巧みな機能で、健康に生きていくうえで欠かせない嘘であるといえるでしょう。

　同じ防衛機制でも、こころの成熟度によってさまざまなレベルがあります。また、問題に対する状況やそのときの感情の度合いによって、こころが十分に成熟した人であってもレベルの低い防衛機制がはたらくことがあります。たとえば、何か重篤(じゅうとく)な病気を宣告された人が、自分にはそんなことは起こらないはずだと「否認」したり、自分のミスのために起こった事故を状況や周りのせいであると事実を「歪曲(わいきょく)」したりするなどです。

Step 3-1
メンタル疾患の診療科の選び方

「心療内科」「神経科」は、厳密には「精神科」とは違います。しかし実際は、メンタル疾患を扱う精神科であることが多く、精神科に抵抗のある場合、気軽に診察を受けられる心療内科やメンタルクリニックを利用できます。

1. メンタル疾患と精神科へのイメージ

　Step 1・Step 2で述べたように、メンタル疾患は、早めに治療を始めれば、早期回復の可能性もより多くなります。

　しかし、いまだに精神科という言葉には、抵抗感が強いようです。多くの人は、よほどのことがない限り、精神科を受診することは避けたいと考えているようです。このため、精神科は、重症になるまでなかなか受診されず、「精神科＝重い精神病」というイメージが強化される悪循環が起きています。そこには、精神という言葉のもつ意味が、深く関係しています。精神は、人間の存在にとって大変重要なものです。そして、精神を病むことは、人間の基本的要素である人間性や人格にかかわる問題であるという偏見が生まれているのです。精神病は、脳という1つの臓器の病気であり、誰にでも起こりうる問題です。このため、人間性や人格の問題と混同して扱うべきではないのです。

2. 診療科の基礎知識

(1) 心療内科

　心療内科は、主に心身症を対象とする診療科です。心身症とは、ストレスなどで脳内の神経伝達物質に不調が生じ、自律神経がうまくはたら

かなくなることで身体症状が起こる病気です。身体的な症状であっても、精神面の配慮をしないと改善しない疾患が増えています。現代はストレス社会と呼ばれていますが、そのストレスが、さまざまな身体症状を引き起こします。ストレスによって起こる身体の疾患、つまり、心身症は、胃炎、胃・十二指腸潰瘍（かいよう）、高血圧、頭痛、過敏性大腸炎、耳鳴り、リウマチ、気管支喘息（ぜんそく）、湿疹（しっしん）、アトピー性皮膚炎など、多種多様です。ストレスは、自律神経系、ホルモン系、免疫系に異常をきたし、さらに、自律神経系はすべての内臓の機能と密接にかかわっているため、あらゆる臓器に悪影響を及ぼします。

　心身症の人は、身体症状に気をとられて、心身症の自覚がないことが多く、病状が次々と移っていき、通院が続くこともあります。心身症は、ストレスへの対応をしっかりと行わなければ、なかなか治癒しません。心療内科は、心身症に対して、ストレスを減らすことやストレス対処能力を高めることなどによって治療を行う診療科です。しかし、心療内科は、下記（２）で述べるように、精神科の意味で使われることもあります。

（２）精神科と心療内科との違い

　メンタル疾患を治療する診療科は、基本的に精神科です。しかし、多くのメンタルクリニックが、精神科ではなく、心療内科を標榜（ひょうぼう）[★1]していますます。これは、依然として存在する精神科へのネガティブなイメージや偏見の影響と思われます。日本では、自由標榜制[★2]であるため、メンタルクリニックでは、患者を通いやすくするために、柔らかいイメージの心療内科を標榜していると思われます。

　実際には、心身症の患者が、自分で心身症とわかって心療内科を受診することはほとんどありません。また、心療内科のみの専門医というのも、非常に少ないため、「心療内科＝精神科」と考えてもよいのが現状です。総合病院で、精神科と心療内科が別になっているような場合で

も、厳密に区別するのは困難です。精神科の経験のある内科医が、心療内科を標榜する場合もあります。結果的に、比較的軽症であれば心療内科を受診させ、精神科医の専門的治療を必要とする可能性があれば精神科を受診させるといった振り分けをしている病院が多いようです。心身症や軽症のうつ病であれば、内科医であっても治療は可能ですが、精神科の専門的対応が必要な場合、精神科に円滑に紹介できる体制が整っている必要があります。

（3）神経科

神経科は、精神科とほぼ同じと考えてよいでしょう。心療内科と同様に、患者を通いやすくするために、神経科を標榜していることが多いと思われます。メンタル疾患の人も、神経症や神経質などで悩んでいる場合は、精神病を診る精神科には心理的抵抗を感じても、神経科なら受診しやすいようです。

（4）脳神経内科

脳神経内科は、内科の1分野であり、パーキンソン病、重症筋無力症、筋ジストロフィー、脳炎などの、脳と神経の異常を対象とする診療科です。認知症やてんかんを治療の対象としているところもあります。精神科とは異なり、こころの問題はほとんど扱いません。しかし、脳神経内科も神経科を標榜することがあるため、担当する医師が内科医か精神科医か、区別できない場合があります。

3．診療科の選び方

a．診療科の名称から探す

メンタル疾患であれば、まず、精神科と標榜しているところを受診するとよいでしょう。上記2で述べたとおり、心療内科や神経科と標榜し

ている場合でも、ほとんどの場合は精神科医が診療を行っています。また、最近では、精神科の代わりに、メンタルヘルス科、ストレス科などの呼称も使われています。

受診にあたって心配なことがあれば、まず、電話で疑問点を問い合わせたり、症状を伝えたりするとよいでしょう。

b．自分に合った病院やクリニックを探す

医師との相性も大切ですが、まずは、一般的な精神科医療を行っていることを確認して、通いやすいところを早めに受診しましょう。また、あらかじめ、広告やホームページなどで、受診先の治療方針や診療体制などを調べておくとよいでしょう。

c．自分に合った治療法を探す

診療は、必ずしも最初からスムーズに進むとは限りません。どのような治療法が合うのかも含めて、問題を整理していくことから始める場合もあります。薬物療法は、症状に合う薬が見つかるまでに時間がかかることもあります。専門外の治療法や特殊な治療法が必要な場合には、他の医療機関に紹介されることもあります。メンタル疾患では、試行錯誤を繰り返しながら、焦らずに最適な治療法を探すことが大切です。

- メンタル疾患では、医療機関の名称にかかわらず「精神科」を標榜しているところを選ぶとよい。
- 医者や療法は、焦らずに自分に最適なものを探すことが大切である。

用語解説

★1　標榜：診療科を表示すること
★2　自由標榜制：日本では医師免許があれば、何科を標榜してもよい。この反対が専門医制であり、麻酔科のみ、麻酔の専門医だけが標榜できる

Step 3-2
メンタル疾患の主治医の選び方

精神科医は、こころの内を明かす相手であり、医師として信頼できることはもちろん、きめ細やかな対応が望まれます。受診先を選ぶ際、どこに注意して選んだらよいのか知っておきましょう。

1. 精神科医を選ぶポイント

どのような精神科医がよいかは、本人との相性もあり、大変難しい問題です。

次のようなポイントがあります。

①病状や治療方針をわかりやすく納得できるように説明してくれること
②薬物療法以外に、生活面での注意をしてくれること
③家族状況や家族の気持ちに配慮してくれること
④病気の症状だけではなく、職場状況や生活状況の改善を考えてくれること
⑤専門外であれば、必要に応じて快く専門医を紹介してくれること
⑥最新の治療に関する知識をもっていること
⑦地域の福祉サービスについてよく知っていること

精神科を専門としていれば、通常は、**精神保健指定医**という資格をもっています。精神保健指定医の資格には、次の条件が必要であり、実際には、医師となってから5～10年程度で取得することが多いものです。

- 医師として5年以上の臨床経験
- 精神科医として最低3年間の臨床経験
- 精神保健福祉法を理解したうえで、ケースレポートの提出や口頭試問の試験に合格

精神保健指定医の資格があると、たとえば、入院治療が必要な患者が入院を拒否する場合、家族等の同意があれば、強制的に入院させることができます。なお、精神科病院には、定められた数の精神保健指定医が必要です。

2．専門的治療が必要なメンタル疾患

アルコール依存症、薬物依存症、PTSD（心的外傷後ストレス障害）、人格障害、睡眠覚醒リズム障害、児童・思春期のメンタル疾患、摂食障害、DV（家庭内暴力）などは、専門的に診療および研究を行っている医療機関があります。

通常の診療ではよくならない場合は、専門的な医療機関での治療について、主治医とよく相談してみることです。専門的治療を行っている医療機関は、インターネットで調べることもできますし、各地域の保健所や精神保健福祉センターでも案内しています。

3．主治医を変えたいとき

「受診していても病状がよくならない」「主治医が信頼できない」などから、受診先を変えたいと思うこともあるでしょう。治療が進んでいないと感じるときは、その気持ちを正直に主治医に打ち明けるのが最もよい方法です。患者の不安もしっかりと受け止めて、不安に対する説明を

してくれることも医師の役目です。患者に合う薬物を探している途中かもしれませんし、実際にはよくなっているのに患者が焦っているだけかもしれません。治療への不安を相談し、納得したうえで受診するのがよいでしょう。

それでも治療に納得できないようであれば、受診先を変えたい旨を主治医に伝え、それまでの治療経過などについて紹介状を書いてもらいます。受診先を変えることについて、主治医に気を使う必要はありません。しかし、どうしても言いにくいのであれば、職場の近くで通いやすいところを見つけた、知人の紹介で一度受診してみたいところがあるといった理由を添えるとよいでしょう。その場合も、紹介状は必ず書いてもらいましょう。

4．カウンセリングの受け方

メンタル疾患であっても、必ずしもカウンセリングが必要というわけではありません。薬物療法と短時間の面接だけで改善する場合も少なくありませんし、薬物療法が主体というメンタルクリニックも多く存在します。

一般に、精神科医が行うものを精神療法と呼びます。医療施設として認められている病院やクリニックで、精神科医が一定の精神療法を行った場合、医療保険が使えます。しかし、一般には、精神療法に長い時間を確保することは困難です。一方、臨床心理士や心理カウンセラーが行うものを、心理療法やカウンセリングと呼び、実費となります。しかし、じっくりと時間をかけて治療することができます。また、精神科医が、実費でカウンセリングを行うこともあります。心療内科にカウンセリングルームを併設して、精神科医とカウンセラーがチームでひとりの患者に対応するようなところもあります。

どの症状に対して、どの時期に、どの形式でカウンセリングを行うの

が適切かは、メンタル疾患の性質にもよるため、主治医とよく相談する必要があります。メンタル疾患によっては、カウンセリングが適さない症状や時期があります。また、不適切なカウンセリングによって、病状が悪化することもあります。たとえば、重度の統合失調症患者、自殺念慮や自殺企図があるケースは、カウンセリングが悪影響を起こす可能性があります。自殺など命にかかわるリスクがあるため、カウンセリングは行いません。また、PTSD（心的外傷後ストレス障害）は、原因となったできごとを鮮明によみがえらせることがあり、症状を悪化させてしまうリスクがあります。

なお、カウンセリングの料金は、医療機関によってさまざまですが、一般に、1回30〜60分で5,000〜15,000円程度のところが多いようです。

> **Point!**
> ・精神科医を選ぶポイントには、本人との相性などがある。
> ・主治医を変えたいときは、その気持ちをまず主治医に打ち明けるとよい。
> ・精神科医の行うカウンセリングを精神療法と呼ぶ。
> ・重度の統合失調症、PTSD（心的外傷後ストレス障害）など、心理カウンセリングには適さないメンタル疾患もある。

Step 3-3

各種制度と相談先

メンタル疾患での各種制度を知っておくことも、カウンセラーとしては必要です。

1. 各種制度の基礎知識

（1）自立支援医療（精神通院医療）

　自立支援医療は、障害者総合支援法により実施されている制度です。精神障害をもち、入院によらず、継続的に精神医療（通院医療）を受ける場合、公費によって医療費の補助を受けることができ、世帯収入や症状に応じて、外来治療での自己負担分が減額されます。

（2）精神障害者保健福祉手帳

　メンタル疾患によって日常生活などに一定以上の支障をきたしている場合、精神障害者保健福祉手帳を取得できます。自立支援医療費給付手続きを簡素化でき、公共施設利用料の免除や税法上の控除を受けられます。

　また、要件を満たすことで、次のような制度を利用できます。

・障害年金・生活保護
・市町村の精神保健福祉事業（医療費助成制度）、ひとり親家庭等医療費助成制度、特別児童扶養手当、障害児福祉手当、特別障害者手当、心身障害者扶養共済制度

---

2. 医療機関以外のメンタル疾患の相談先

医療機関以外でも、次のようメンタルヘルスに対する支援や相談事業を行っている施設があります（図21）。

●図21　メンタル疾患の相談先

種類	内容	
保健所	メンタルヘルスに関する相談を広く受け付けている。一般相談、アルコール相談、訪問指導をはじめ、地域におけるメンタルヘルスに関するネットワークの中心的存在となっている。	
精神保健福祉センター	各都道府県および政令指定都市に1か所（東京都は3か所）設置されている行政機関である。精神保健福祉に関する総合技術センターとして位置づけられている。	
産業保健活動総合支援事業	独立行政法人労働者健康福祉機構が実施主体となり、地域の医師会などの協力のもと、企業のメンタルヘルス対策を含む産業保健活動を総合的に支援（相談窓口は下記の2つ）	
	産業保健総合支援センター	都道府県ごとに設置。事業者・産業保健スタッフなどを支援
	地域窓口 （地域産業保健センター）	主に、労働者数50人未満の事業場を支援

図21のほか、市町村の保健センターや障害福祉担当課、各都道府県・市町村の障害福祉課があり、地域に根づいた支援を行っています。

- メンタル疾患の場合、自立支援医療制度により医療費の補助を受けることができる。
- 医療機関以外であっても、メンタル疾患の相談や支援を行っている施設がある。

Step 3
理解度チェック

問1 次のリハビリテーション（社会復帰療法）に関する文章で正しいものには○を、間違っているものには×を解答欄に記入してください。

[ ]（1）リハビリテーショは、精神症状を改善させる効果がある。
[ ]（2）作業療法は、リハビリテーションの一種である。
[ ]（3）生活技能訓練は、リハビリテーションの一種である。
[ ]（4）リハビリテーションは、薬物療法と同時に行わないほうがよい。
[ ]（5）入院中は、一般にリハビリテーションは行わない。

問2 次の文章で正しいものには○を、間違っているものには×を解答欄に記入してください。

[ ]（1）心療内科とは、そもそも精神科の別名である。
[ ]（2）神経科とは、パーキンソン病、重症筋無力症、筋ジストロフィー、脳炎など、脳と神経の異常を対象とする。
[ ]（3）精神科と標榜（ひょうぼう）するためには、精神保健指定医の資格が必要である。
[ ]（4）メンタル疾患の治療は精神科で行われる。
[ ]（5）精神科で行われるカウンセリングを心理療法と呼ぶ。

Step 3
理解度チェック 解答と解説

問 1

(1) 解答：○
(2) 解答：○
(3) 解答：○
(4) 解答：×
　　解説：メンタル疾患では、再発を防ぐために薬物療法が長期にわたり、リハビリテーションと併用することも多くあります。
(5) 解答：×
　　解説：入院が必要となる理由はさまざまであり、リハビリテーションも併用されます。

問 2

(1) 解答：×
　　解説：心療内科は、心身症を専門に扱いますが、精神科よりも語感が柔らかいという理由で標榜されることが多いです。
(2) 解答：×
　　解説：脳と神経の異常を対象とするのは、脳神経内科です。
(3) 解答：×
　　解説：精神科を専門にしている医師の場合、多くは精神保健指定医の資格を取得していますが、取得していなくても精神科を標榜することは可能です。
(4) 解答：○
(5) 解答：×
　　解説：精神科で行われるカウンセリングを精神療法と呼びます。

Part 4

人と人との
かかわりって、
何だろう？

―対人コミュニケーションの基本を知ろう―

Step 1-1

人とのかかわりとは何か

人は人とかかわらなければ、生きていけない存在です。人とかかわるとは、つまり、コミュニケーションをとるということです。ところが、人とのかかわりは、現代社会の主なストレス原因の1つとなっています。

 ## 1. 子どもの正常な発達に必要なもの

　第二次世界大戦後、アメリカでは、孤児院で育てられる子どもが増えました。当時の孤児院は、それなりに衛生的であり、乳児にはミルクもきちんと与えられていました。しかし、一般の子どもと比べて、虚弱で死亡率が非常に高く、さらに、発達が遅れている、知能が低い、表情が乏しいなど、心身に障害をもつ子どもが多くみられました。そこで、孤児院の子どものケア状況が調査されました。当時は、「赤ちゃんには栄養が足りてさえいればよい」という考え方で、一斉保育が行われていました。子どもたちは、一人ひとりベッドに寝かされたまま大半の時間を過ごし、時間が来ると、看護師がミルクを与えて、おむつを替え、流れ作業で面倒をみていました。つまり、一人ひとり抱っこして、あやすということはなかったのです（このように、両親と離れ、長期間、病院や施設などに収容された子どもに心身の障害が生じることを、ホスピタリズムといいます）。

　その後、看護師が、一人ひとりを抱っこし、声をかけ、愛情をもって接するようにすると、乳児の死亡率は低下し、子どもたちの表情もしだいに明るくなったのです。これらのことから、子どもが正常に発達するためには、物理的に整った環境や栄養だけでなく、人とのかかわりや、情緒的、社会的な刺激が不可欠であることがわかりました。

2．人が生きるために必要なもの

　人は、人とかかわらなければ、生きていけない存在です。しかし、誰にでも、人間関係がうまくいかなかった経験があるでしょう。そして、多くの人が、どうしたら良好な人間関係が築けるかと悩んだことがあるでしょう。人間関係がうまくいくコツは、コミュニケーションのポイントをつかむことです。相手のことを知り、自分の伝えたいことをわかりやすく伝えるだけで、人間関係はずいぶんと楽になるはずです。

　コミュニケーションの基本となるものに、**対人認知**があります。対人認知とは、私たちが人とかかわろうとするときに、まず、相手がどのような人であるかを知ろうとすることです。これは、意識的にも、無意識的にも行われるものです。対人認知には、**図22**の4つの面があります。

●**図22　対人認知の4つの面**

段階	内容	反応の例
感情（情動）認知	相手の感情を理解する。	「この人は、今、怒っているようだ」
パーソナリティ認知	相手の性格を理解する。	「この人は、案外、几帳面な性格のようだ」「この人は、おおらかな人みたいだ」
対人関係の認知	相手との関係性を理解する。	「この人は、自分のことを気に入ってくれているみたいだ」「この人とは、何だか反りが合わない」
プロトタイプ認知	相手をカテゴリーの特徴に合わせて理解する。	「この人は、車が好きだから、機械にも強いのだろう」

　対人認知によって、相手がどのような人で、どのような反応を示すかがわかり、それによって、自分のかかわり方が変わっていきます。

- 子どもの正常な発育にはコミュニケーションが不可欠である。
- 人とかかわるときには、相手がどんな人間であるかを知ろうとする「対人認知」から始まる。

Step 1-2
対人認知の4つの面

Step 1-1で述べたとおり、対人認知は、人とのコミュニケーションの基盤となる非常に重要なものですが、認知の結果によって、対人関係に歪みが生じることもあります。

 1. 感情（情動）認知

感情（情動）認知とは、相手の感情を理解することです。「今、怒っているのか、悲しんでいるのか」など、相手の表情や声のトーンなどから推測します。相手の感情を正しく認知することは、円滑なコミュニケーションのために不可欠です。

 2. パーソナリティ認知

相手の性格を理解することを、パーソナリティ認知といいます。

相手の性格を知ろうとするとき、まず、相手の容姿、身なり、態度、そして、ほかの人から聞いた情報などを基に判断します（**パーソナリティの印象形成★1**）。第一印象とは、初対面の人に、外見や自己紹介を通じて与えた印象です。

パーソナリティ認知は、間違いや歪みが生じる場合も多く、これを、**ハロー効果（光背効果）**といいます。相手が、第一印象とは全然違う人であったということはよくあります。これは、「この人ははきはきと自分の意見を言うし、きっと仕事もできる人に違いない」「この人はいつも地味な服装ばかりしているから、暗い人なのだろう」などと思い込みで判断するためです。さらに、一度「よい人だ」と思い込むと、相手の

すべてをよい方向に判断します。逆に、「悪い人だ」と思ってしまえば、相手のすべてを悪い方向に判断します。

3. 対人関係の認知

自分のかかわる相手について、どのような人であるかを理解したり、自分と相手との関係性を理解することを、対人関係の認知といいます。「自分のことをどう思っているか」「自分より立場が上か下か」などを理解することは、人間関係において非常に大切です。

私たちは、自分が関心をもっている人については、どのような考え方をするかを判断したり、どのような行動をするかを予測して自分の行動を決めたりします。たとえば、「こんなことを言ったら相手は怒るだろう」と思って、言うのをやめたりします。対人関係を認知することで、相手と衝突しないようにしているのです。

4. プロトタイプ認知

相手の属性をあるカテゴリーに分類して理解することを、プロトタイプ認知といいます。たとえば、「教師だから、道徳観念がしっかりしている」「容姿が素敵な人だから、人気者に違いない」などです。認知する人のものの見方や考え方、今までの経験などが大きく影響します。

> **Point!**
> ・対人認知には、感情（情動）認知、パーソナリティ認知、対人関係の認知、プロトタイプ認知がある。
> ・第一印象が必ずしも正しいとはかぎらないのは、ハロー効果による。

 用語解説

★1　パーソナリティの印象形成：限られた情報から他者のパーソナリティの印象を作り上げること

Step 1-3

対人認知の実際

人間関係がうまくいくためには、できるだけ正確な対人認知が必要です。間違った対人認知に基づいて行動すれば、人間関係は悪くなります。対人認知の実際について、難しさと留意点を学習しましょう。

 1．対人認知の難しさ

　実際のコミュニケーション場面では、話し手が、顔と声で異なる感情を表すこともあります。このため、感情（情動）認知にあたり、相手の感情を正確に認知することは、意外と難しいといえます。

　そして、パーソナリティ認知は、相手との関係や認知する人自身の要因が強く影響するため、正確な認知は難しいとされます。より正確なパーソナリティ認知をするには、まず、自分が**他者のパーソナリティを認知するときの癖**を知ること、**自己理解**を深めることが必要です。

　また、相手の第一印象や、それまでの自分のものの見方に固執していると、正確なパーソナリティ認知に近づくことができません。「自分見方が絶対に正しい」と思い込まず、「いつでも修正される可能性がある」と考えることが重要です。特に、一度「嫌だ」と思ってしまうと、相手の本来の姿を正確に認知することが難しいものです。そして、嫌な人のままで、相手の見方を修正できなくなることもあります。

 2．対人認知の留意点

a．相手の情報は一部にすぎない

　私たちは、相手のすべてを知ることはできませんし、相手の行ったす

べてのことを見ているわけではありません。実際には、相手のうわさや、ごく一部の知っていることだけで、相手の全体像を組み立てて、「優しい」「怒りっぽい」などと結論づけているのです。

しかし私たちは、その組み立て作業の途中で、自分の価値判断やものの見方などを加えてしまっています。このため、組み立てた全体像が相手の真実の姿とは限らないのです。

対人認知は、過去や相手をとりまくさまざまな要素からの情報にも影響されます。たとえば、以前、自分に対して嫌な態度をとったことがあるため、「あの人は意地悪だ」と思ったりします。また、相手の年齢、性別、職業、住所、さらに、交流関係などの情報が影響を及ぼします。

b．対人認知は相手の外見に影響される

人を判断するときに最も影響されるのは、相手の外見です。次のような実験があります。

外見の影響の実験

アメリカで、公衆電話のコインの返却口に、わざと10セント硬貨を置いたまま、次の人と変わるという実験が行われました。そして、次の人が公衆電話から出てきたときに、「10セント硬貨はありませんでしたか」と聞くのです。同じ人が、同じ言葉で聞いたにもかかわらず、立派なスーツを着ていたときには10セント硬貨を返してもらえる確率が高く、みすぼらしい格好のときには10セント硬貨を返してもらえる確率が低かったのです。

つまり、服装の違いによって、「この人には、正直に10セントを返そう」「この人なら、だませるだろう」という判断がされていたのです。

上記のような行動は、自分では気づかないまま、日常的によく起こることなのです。

また、**相手の顔や体格**によっても、私たちは相手を判断します。丸顔のふっくらした人は優しい、眼の細い人は冷たい、やせている人は神経質、太っている人はおおらかなどのようにです。

　さらに、相手の何を手がかりとして、どのような推測をするかは、判断する人のパーソナリティや気持ち、態度、過去の経験などによって違います。同一人物に同時に対面しても、人によって対人認知は違います。ある人は「怖そうな顔をしていて、取っつきにくそうな人だ」と思っても、ほかの人は「この人は正直そうだから、信頼できそうだ」と思うかもしれません。

　このように、対人認知は複雑なものであり、さまざまな要素によって変わるものなのです。

c．対人認知は一方的なものではない

　相手はどういう人間かを知ろうとしているのと同様に、相手もこちらを知ろうとするものです。このため、私たちは、相手を理解しようとするのと同時に、意識的または無意識的に、相手が自分のことをどのように思っているかを探り、このように思われたいという印象を相手に与えようとしているのです（**自己呈示**★1）。たとえば、「もしかして、自分のことを気が弱いと思っているのではないだろうか。少し大きな声で話して、気の強そうな印象を与えたほうがいいのだろうか」などと考え、行動するのです。

d. 自分自身をよく知っておく

　正しい対人認知を行うためには、自分自身のこころの動きに気づき、それを認めることが必要です。普段から、自分の考え方や言動の傾向を、客観的に知っておくことで、自分の感情や態度を意識的にコントロールすることができるようになります。これを、**自己覚知**といいます。

　自分の非言語的な行動がもつメッセージを意識することも必要です。非言語的な行動は、無意識のうちに表れてしまうこともあります。言語

的メッセージより、非言語的メッセージが伝える情報のほうが多いといわれますから、注意が必要です。

コミュニケーションする相手がふだんからよく知っている人の場合、「よく知っている」という思い込みが、かえってそのときの相手の心情をみえにくくする場合もあります。相手の一面をみただけで、すべてを理解できたと思ってはなりません。

3. 人間関係を良好にするために

たとえば、「この人はおおらかな人だから、何を言っても大丈夫だろう」と思っていたとします。しかし実は、非常に細かいことを気にする人だった場合、相手は自分のひと言で傷ついてしまい、関係が悪化するということもあります。

正しい対人認知がなされると、相手のとる行動の本当の意味を理解できたり、相手の行動を予測できるようにもなります。「この人が笑顔で『考えておく』と言ったら、だめだということだな」とか、「あの人だったら、きっと『うん』と言ってくれるだろう」などのようにです。そのためには、自分の感じ方やものの見方を知ること、そして、常に自分の対人認知を修正していく気持ちをもつことが大切です。

- 対人認知は歪みやすく、いつも正しいとは限らない。
- 対人認知を修正することは簡単ではないが、よいコミュニケーションのためには修正する努力が必要である。

用語解説
★1　自己呈示：相手にもたれる印象を操作しようとする行為

Step 1-4
良好な
コミュニケーションとは？

メールやスマートフォンは、現代に欠かせないコミュニケーションツールです。しかし、一方的に送っただけのメールや、留守番電話にメッセージを残しただけの電話は、コミュニケーションといえるのでしょうか。

 1. コミュニケーションの意味

　私たちは、コミュニケーションという言葉をどんなときに使っているでしょうか。友人とのおしゃべり、電話やメール、Facebook★1やTwitter★2、LINE★3などを使った言葉のやりとり、あるいは、情報・意見の交換といった意味で使うこともあります。

　コミュニケーションとは、「ある目的をもって行われる情報伝達」と定義されます。広義のコミュニケーションは、地球上の生物すべてが行っているものです。

　心理学的な意味から見たコミュニケーションとは、人間対人間であることが絶対条件となっています。そのため、**対人コミュニケーション**と呼ばれます。人と人との情報伝達という行為、さらに、情報伝達によって生じる周囲の変化をさすのです。

 2. コミュニケーションの5つの要素

　コミュニケーションは、図23のとおり、5つの要素があります。

　5つの要素のうち、1つでも変わると、また別のコミュニケーションになります。たとえば、図23で、「家まで言いに来た」のと「手紙がポストに入っていた」のとでは、情報の内容が同じであっても、伝達の効

果に違いが出てきます。対人コミュニケーションは、さまざまな要因の影響を受けやすく、わずかな違いが結果的に大きな違いになりうるという、大変複雑なものです。

図23　コミュニケーションの5つの要素

要素		例
誰が	情報の発信者	隣人が
誰に	情報の受信者	私に
何を	情報の内容	テレビの音がうるさいと
どのような方法で	伝達の方法	家まで言いに来た
どのような影響を与えるか	伝達の効果	私は隣人にあやまった

3．対人コミュニケーションの基本

　対人コミュニケーションは、一定の手順や決まりごとの上に成り立っているものです。対人コミュニケーションが成り立つためには、まず、情報の発信者が情報の内容（伝えたいこと）を、頭の中でまとめておかなければなりません。そのあと、情報の内容を、受信者に対して発信します。このとき、伝達の方法は、情報の発信者と受信者の両方にとって理解可能なもの（言語など）でなければなりません。

　対人コミュニケーションの目的は、情報を正確かつ効率よく伝達することだけではありません。自分の考えや気持ちを表現したり、情報を共有したりすることであって、媒体、方法、手段は限定されるものではありません。

　対人コミュニケーションは、そのときの互いの精神状態や、当人同士がもつバックグラウンド、あるいは、各人の性格などといったさまざまな要因に影響されます。つまり、よい対人コミュニケーションは、そのときの状況、人間関係、その他多くの要因によって変わるものであり、

変えていくべきものでもあるのです。

4．良好なコミュニケーションのために

　対人コミュニケーションを上手に行うためには、まず、自分の対人コミュニケーションスタイルについてよく知らなければなりません。

　対人コミュニケーションスタイルとは、自分が周囲の人（目上の人・年下の人、上司・同僚・部下、友人、子どもなど）に対し、どのような場面で、どのような言動をしているかということです。この対人コミュニケーションスタイルを、客観的に見つめることが必要です。

　自分の対人コミュニケーションスタイルの傾向を知っておけば、さまざまな相手と、時と場合に応じた柔軟で良好なコミュニケーションをとることができるようになるのです。良好なコミュニケーションとは、相手が望んでいることを察知し、察知したことに応じた発言や行動をすることといえます。このため、対人コミュニケーションが上手な人とは、**聴き上手な人**といわれ、良好な対人コミュニケーションとは、相手の伝えたいことの趣旨を理解し、適切な返答をすることなのです。

- 人と人とのコミュニケーションを、心理学では対人コミュニケーションという。
- よい対人コミュニケーションのためには、まず自分の「やり方」を客観的に知る必要がある。

用語解説

★1　Facebook：インターネットを利用し、個人間のコミュニケーションと社会的なネットワークを支援するサービスを行うサイト
★2　Twitter：ブログと電子メールの中間的な、インターネットを利用したコミュニケーションツール
★3　LINE：スマートフォンなどで、無料で音声通話やメッセージを送ることができるコミュニケーションアプリ

Column 10　カウンセラーのこころと積極的傾聴

　以下に、カウンセラーとしてのこころのあり方を、積極的傾聴（Part 4 Step 2-1参照）からまとめておきます。

● **積極的傾聴とはクライエントが安心して「今ここにいる」と感じさせること**

　積極的傾聴によって私たちができることは、相手の人にできるだけ多く話してもらい、相手のこころの負担が少しでも軽くなるように手伝いをすることです。同時に、クライエントの考えの整理がついて、自分なりの判断や解決方法を見つけていけるよう手助けすることです。クライエントの問題について一番よく知っているのは、本人だからです。クライエントは、長い間悩み、まるで嵐のなかの小舟のようにさまよっている状態です。カウンセラーは、難破船がたどり着いた島のように、安息の場所でなくてはなりません。クライエントに、今、自分は安全な場所にいると感じさせることが、最大の目的といっていいでしょう。

● **人は基本的に自分のことを自分で解決する能力がある**

　ロジャーズ（Part 1 Step 4-3参照）は、真っ暗な部屋の中でわずかな光のほうへ伸びていくジャガイモの芽を例にあげています。すべての生きるものは、本来の可能性を建設的に育てていく力をもっていて、人間のこころもまったく同じであるという考え方です。人は、話を聴いてもらいたいと思ったときに、必ずしも解決方法を求めているわけではありません。自分の考えをまとめ、混乱を解きほぐす手助けを求めていることが多いのです。人間のこころは、常に光に向かって育っているはずであるのに、それができなくなっている相手のこころをほぐしてあげることが、積極的傾聴そのものであるといえます。

Step 1-5
対人コミュニケーションの種類

自分の思いを正しく伝えることが、対人コミュニケーションの基本です。どのような方法で、どのように伝えることが、理想的な対人コミュニケーションであるかを学習しましょう。

 1. 対人コミュニケーションの分類

対人コミュニケーションは、一般には言語を手段として用います。対人コミュニケーションは、形式上の分類と内容上の分類の2つの分類方法があります。以下、それぞれについて見ていきましょう。

 2. 形式上の分類

対人コミュニケーションの方法から、言語的コミュニケーション（バーバルコミュニケーション）と非言語的コミュニケーション（ノンバーバルコミュニケーション）の2つに分けられます。

a. 言語的コミュニケーション（バーバルコミュニケーション）

言語的コミュニケーションとは、話し言葉や書き言葉によるもので、対面での会話、電話、FAX、手紙、メールなどの手段があります。言語的コミュニケーションには、さらに、直接と間接の2種類の方法があります。

直接の言語的コミュニケーションは、「Aさんと話す」という直接のやりとりです。間接の言語的コミュニケーションは、「Aさんの言ったことをBさんから聞く」という伝聞などです。

言語的コミュニケーションで気をつけなければならないのは、**自分の**

使う言葉と相手の使う言葉が違う場合です。同じ日本語であっても、性別や年代によって使う言葉が違います。たとえば、「自分」をさす言葉にも、「わたくし」「わたし」「ぼく」「オレ」など、さまざまな言い方があります。また、丁寧語・日常語・ラフな表現・ぞんざいな言葉の違いや、語尾に付ける「○○だ」「○○だよ」「○○ね」などの違いもあります。生まれ育った環境によっても、違う言葉を使います。そのほか、病院用語の「オペ（＝手術）」「全麻（＝全身麻酔）」、警察用語の「洗う（＝よく調べる）」など、同じ職業や仲間内でしか通じないような用語（業界用語）もあります。さらに、同じ言葉でも、地域によって意味が違うこともあります。たとえば、「なおす」は、関東では「修理する」という意味ですが、関西では「片づける」という意味になります。

　言語的コミュニケーションのために大切なことは、相手と同じ言葉を使うこと、相手がわからない言葉は極力避け、言い換えることです。

b. 非言語的コミュニケーション（ノンバーバルコミュニケーション）

　非言語的コミュニケーションとは、言葉以外の表情や身ぶり、手ぶり、動作、姿勢、態度などによって自分の気持ちを示すものです。外国に行って言葉が通じないとき、一生懸命、身振り手振りで自分の言いたいことを伝えようとします。これも一種の非言語的コミュニケーションです。一般に、相手との関係が親密であればあるほど、より多く非言語的コミュニケーションが使われます。

　非言語的コミュニケーションによるメッセージは、ジェスチャー、相手との物理的な距離、視線のほか、匂い、服装など、たくさんのものが含まれます。たとえば、警察官の制服を着ていれば、初対面の人でも職業が予想できますし、威圧感を与えたりもします。また、口では興味がありそうなことを言っていても、あくび1つで「退屈だ」というメッセージを発信されてしまうこともあります。私たちは、自分で認識している以上に、非言語的コミュニケーションを通して、メッセージを発信したり解釈したりしているのです。

同じ非言語的コミュニケーションでも、年齢、性別、社会的立場、文化などによって違いがあります。たとえば、「おいで」を表すジェスチャー（手招き）は、日本では、手の甲が上で指を下にして動かしますが、アメリカでは、手のひらを上にして、上向きの指を動かします。また、日本では、首を横に振ることは「ノー」の意味になりますが、パキスタンやインドでは、同じ動作が「イエス」の意味になります。

（１）言語的・非言語的コミュニケーションの比較

　対人コミュニケーションでは、言葉が一番重要だと考えがちです。しかし、メラビアン（マレービアンとも呼ばれます）の『非言語コミュニケーションの研究』によれば、人間が相手に何かを伝えようとするとき、メッセージは、言葉７％、声の調子（気持ちの込め方、声の高低、強弱、抑揚、速さなど）38％、態度・表情（目線、あいづち、姿勢、しぐさなど）55％という割合で伝わるといわれています。つまり、言葉そのもの（言語的コミュニケーション）で伝わるのは７％であり（３％に過ぎないという心理学者もいます）、残りの93％は非言語的コミュニケーションで伝えているのです。たとえば、「申し訳ありませんでした」という謝罪の言葉を言われたとき、声のトーンが非難的に聞こえたり、表情が不服そうだったり、視線をそらしたままだったりしていたとします。すると、受け手は、謝罪の言葉そのものではなく、残りの非言語的な部分のほうを信じて、「この人は申し訳ないとは思っていない」と受け取ってしまうということです。

　メラビアンの研究からも、対人コミュニケーションでは、態度が最も重要な意味をもつといえます。話をする態度と話を聞く態度によって、コミュニケーションが良好になるかならないかが決まるともいえます。

　初めて会った相手と会話をする場合でも、第一印象やその場の雰囲気といった非言語的コミュニケーションが、言葉を発する前に始まっています。また、何か行動するときに互いの微妙な気持ちが一致する「あう

んの呼吸」といった間柄は、共通の体験や共同の生活などからでき上がったものであり、非言語的コミュニケーションによるところが大きいものです。

（2）言語的・非言語的コミュニケーションの留意点

　通常、言葉と態度は一致し、互いに補佐し合う関係にあります。両方を合わせると、よりよく自分の言いたいことを伝えられ、よりよく相手の言いたいことを理解できます。また、言葉と態度が一致していることによって誤解を防ぐこともできます。言語的コミュニケーションと非言語的コミュニケーションを効果的に用いて、相手とのコミュニケーションをスムーズにすることが大切です。

　気をつけなければならないのは、先に述べた例のように、**言葉と態度が一致しない場合**があるということです。非言語的コミュニケーションには、意識的なものだけではなく、無意識のうちに発しているものもあるからです。言葉では「怒っていないよ」と言いながら、声が低かったり、表情が硬かったりすると、態度や声のトーンからは「怒っている」というメッセージを受け取り、「怒っていない」という言葉と矛盾します。すると、受け取る側は、どちらが真意なのか混乱してしまいます（ダブルバインド現象[★1]）。そして、ほとんどの場合は、非言語的コミュニケーションのメッセージが優先されてしまいます。

（3）言語的・非言語的コミュニケーションの活用

　もちろん、言葉がなければ、対人コミュニケーションは行いにくいものです。しかし、**言葉は不完全な道具**であることも覚えておきましょう。同じ言葉を使っても、伝える側と受け取る側では、解釈や意味合いなどが異なる場合も少なくありません。正確に対人コミュニケーションを行うには、言葉以外の非言語的コミュニケーションが大きく関わってくるのです。

そして、対人コミュニケーションは、自分が伝えたとおりに伝わるものだと考えるのではなく、相手が受け取ったとおりに理解され、解釈されたとおりに伝わっていくものだと考えるべきです。良好なコミュニケーションのためには、自分が伝えたい事柄を、いかに相手に正確に理解できるような形で伝えるかを考えなければなりません。

3．内容上の分類

対人コミュニケーションは、内容から、事実・思考・感情のコミュニケーションと説得的コミュニケーションに分類することができます。

（1）事実・思考・感情のコミュニケーション

事実・思考・感情のコミュニケーションのうち、事実の対人コミュニケーションは、実際に起こっている事柄をそのまま述べるもので、テレビや新聞のニュースなどもこの1つです。また、思考の対人コミュニケーションは、考えを伝えるものであり、感情の対人コミュニケーションは、気持ちを伝えるものです。

たとえば、交通事故が起きたとしましょう。「今日、●●の交差点で自動車とバイクの接触事故が起きた」というのは、事実の対人コミュニケーションです。

「あそこは見通しが悪いからね。いつか事故が起きると思っていたよ！」というのは、思考の対人コミュニケーションです。

「怖いなあ。もうあそこの道は通りたくない！」というのは、感情の対人コミュニケーションです。

事実・思考・感情のコミュニケーションでは、**会話の視点が違っていると、対人コミュニケーションにズレが生じ**、互いに不満が残ります。

上記の交通事故の話でも、一人は「事故の怖さ」を話したいのに、もう一人が「事故の事実」を話していたら、互いに自分の話を聞いていな

いと感じることにもなりかねません。次のような例があります。

夫：「私は、きちんと、その日のできごとや自分の意見を話している」
⇔
「夫は、全然、自分の気持ちを話してくれない！」：妻

　上記の例は、互いに対人コミュニケーションに求めるものが違い、そこからずれが生じています。夫婦間で起きる対人コミュニケーションのずれは、多くの場合、この点に原因があるようです。

　対人コミュニケーションの内容には、その場に適したものがあります。ビジネスの場で感情の対人コミュニケーションばかりをやり取りしていては不適切でしょう。また、夫婦が事実の対人コミュニケーションしかしていないとすれば、何か問題があるのではないかとも考えられます。

　良好なコミュニケーションとは、その場に適切な内容の対人コミュニケーションをとることであり、相手と大きくずれが生じないように続けていくことが大切です。

（2）説得的コミュニケーション

　説得的コミュニケーションは、相手の態度を変えさせる目的で行われるものです。この場合、発信する人への信頼性が重視されます。発信者側の人の信頼性が高いと、一般に、説得は受け入れられやすくなります。ただし、時間が経過するとともに信憑性が薄まるスリーパー効果があります。逆に、信頼性の低い人の説得は、一定期間経過後に効果が現れてくるといいます。そのほか、人柄や魅力、メッセージの論拠の強さ、繰り返される回数などが関係します。

　また、説得しようとしている送信者の意思が、受信者に明確に意識されると、心理的な抵抗や反発が生じ、態度が硬化してしまうといいます。人間は、基本的に自分の考えや行動を自分で決定したいと思ってい

るのに、それに制限を加えられることで、自由を脅かされたと感じ、自由を回復すべく動機づけられ、抵抗が生じると考えられています。これを、心理的リアクタンスといい、説得や依頼の妨げとなります。

説得的コミュニケーションで、自分の説得したいことに有利な情報だけを提供することを、**一面的コミュニケーション**といいます。次のような宣伝が該当します。

> 「この薬は、ダイエットに本当によく効きます！　女優の●●さんも、タレントの●●さんも、これでやせました」

一方、自分の説得したいことに不利な情報も含めて提供することを、**両面的コミュニケーション**といいます。次のような宣伝が該当します。

> 「この薬を飲んで、半年で10kgやせた人もいます！　ただし、個人差があり、すべての人に効くわけではありません」

また、説得的コミュニケーションでは、恐怖を喚起させることが有効であるとされますが、恐怖が大きすぎると逆効果となることも知られています。

さらに、説得したり、納得させたりする方法とは別に、相手の気持ちも考えながら、自分の主張を受け入れてもらうコミュニケーション方法があり、**アサーション**といいます。

4. 対人コミュニケーションの能力

対人コミュニケーションは、人間に関わる活動のすべてに欠かせない要素です。対人コミュニケーションの能力を大きく分けると、**傾聴**[★2]**し理解する能力**と**伝達したり主張したりする能力**とに分けられます。

上手なコミュニケーションは、相手のことをできるだけ正確に知ることから始まります。そこには、傾聴し理解する能力が必要となります。そして、自分が何を伝えたいのかを、自分自身がきちんと把握していなければなりません。自分でも何が言いたいのかよくわからないのでは、相手にわかってもらうのは難しいでしょう。そのうえで、相手に伝える方法を選ぶことです。文字に書いたほうが伝わりやすい場合や、電話のほうが伝えやすい場合もあるでしょう。また、身振り手振りを添えたり、表情豊かに話したほうがわかりやすいこともあります。これが、伝達したり主張したりする能力です。

5. 対人コミュニケーションに対する姿勢

　良好なコミュニケーションをとるためには、コミュニケーションに必要な能力を身につけるだけでなく、コミュニケーションをとる積極的な姿勢をもつことが大切です。能力があることと、能力を使おうとすることは、別のことです。また、能力は、使わなければ衰えていきます。このため、積極的に人とかかわっていくことが大切になります。
　誰かとかかわりたい、誰かに自分の考えや思いを伝えたいという気持ちをもつことから、人間関係は始まるのです。

> Point!
> ・対人コミュニケーションには、言語的コミュニケーションと非言語的コミュニケーションがあり、非言語的コミュニケーションが重要となる。
> ・言葉は、受け取った側の受け止め方で理解が異なる。

用語解説
★1　ダブルバインド現象：意識的な言語的メッセージと矛盾する無意識的な非言語的メッセージが同時に伝えられるために、受け手が混乱する現象
★2　傾聴：人の話に耳を傾けること

Step 1
理解度チェック

問1 対人認知の4つの側面を解答欄に記入してください。
[　　　　　　　　　] [　　　　　　　　　]
[　　　　　　　　　] [　　　　　　　　　]

問2 次の対人認知とコミュニケーションに関する文章で、正しいものには○を、間違っているものには×を解答欄に記入してください。

[　]（1）パーソナリティの印象形成とは、相手に会う前に、相手のパーソナリティを推測することである。

[　]（2）パーソナリティ認知を修正していくことを、ハロー効果（光背効果）という。

[　]（3）対人関係の認知とは、相手の社会的な対人関係を把握することである。

[　]（4）自分が「こう思われたい」という印象を相手に与えようとすることを、自己呈示という。

[　]（5）非言語的コミュニケーションは、万国共通のものである。

[　]（6）対人コミュニケーションにおいて最も重要なものは、声や身振りなどの非言語的コミュニケーションである。

[　]（7）ダブルバインド現象とは、言語的コミュニケーションによるメッセージと非言語的コミュニケーションによるメッセージが、矛盾して同時に伝えられるものである。

[　]（8）ダブルバインド現象では、一般的には言語的コミュニケーションによるメッセージのほうが優先して相手に伝わる。

問3 コミュニケーションの5つの要素を解答欄に記入してください。

[　　　　　　　　　] [　　　　　　　　　]
[　　　　　　　　　] [　　　　　　　　　]
[　　　　　　　　　]

問4 次のコミュニケーションの内容上の分類に関する文章の[　　]に当てはまる語句として、下記の語群から、最も適切なものを選び解答欄に記入してください。

　コミュニケーションは、その内容から3つに分類した[①]・[②]・[③]のコミュニケーションがある。また、相手の態度を変えさせる目的で行われる[④]的コミュニケーションがある。

　[④]的コミュニケーションのうち、自分の説得したいことに有利な情報だけを提供することを[⑤]的コミュニケーションといい、不利な情報も含めて提示することを[⑥]的コミュニケーションという。

① [　　　　　] ② [　　　　　] ③ [　　　　　]
④ [　　　　　] ⑤ [　　　　　] ⑥ [　　　　　]

【語群】
| 多面 | 納得 | 事実 | 感情 | 理解 | 一面 | 思考 |
| 説得 | 協力 | 両面 | | | | |

Step 1
理解度チェック 解答と解説

問1
解答：感情認知（情動認知）　　パーソナリティ認知
　　　対人関係の認知　　プロトタイプ認知

問2
（1）解答：×
　　　解説：パーソナリティの印象形成は、相手に会う前ではなく、会ってからされるものです。その際、相手の容姿、身なり、態度や、会う前に他人から得た情報などが影響してきます。
（2）解答：×
　　　解説：ハロー効果（光背効果）は、対人認知を歪めるものです。
（3）解答：×
　　　解説：対人関係の認知とは、相手と自分の関係性を理解することです。
（4）解答：○
（5）解答：×
　　　解説：非言語的コミュニケーションは、年齢、性別、社会的立場、文化などによって異なります。
（6）解答：○
（7）解答：○
（8）解答：×
　　　解説：ダブルバインド現象では、非言語的メッセージのほうが優先されます。

問 3

解答：情報の発信者　情報の受信者　情報の内容
　　　　　伝達の方法　　伝達の効果

問 4

解答：①事実　　②思考　　③感情　　④説得　　⑤一面　　⑥両面
　　　　（※①〜③順不同）

memo

Step 2-1
積極的傾聴とは何か

会話が弾む人は、「性格が社交的だから」「話し方が上手だから」だと思ってはいませんか。話が弾むというのは、共感があるということなのです。本項では、共感と積極的傾聴の姿勢について学習しましょう。

 1. 会話が苦手・下手ということ

　私たちは、通常、特に何も意識せずに、人と会話をしています。会話は、コミュニケーションのなかでも、最も多く使われる手段です。ところが会話は、最も難しいものでもあります。

　自分の言いたいことが伝わらない、自分の気持ちをわかってもらえないなど、「人との会話が苦手だ」「人との会話が下手だ」と思う人は多いものです。肝心なときに大事な一言が言えなかった、言いたいことと違う言葉が出てしまった、という経験は誰にもあるのではないでしょうか。

　最近は、メールでのやり取りも日常的に行われますが、メールも会話の一種です。対面での会話と同様に、難しいと感じている人も多いようです。

　私たちは、会話のしかたは日常の対人関係のなかで自然と習得されるものと考えて、学校の授業などでも学習科目として「会話」を習ったりはしません。つまり私たちは、どうしたら人とうまく話せるかをきちんと習うという経験がないといえます。会話のしかたのセミナー・研修も増えていますが、それでも私たちは、うまく話せなかったり、誤解を与えたり、相手との行き違いが生じたりしてしまうのです。

　それでは、どうしたら人とうまく会話ができ、良好なコミュニケーションがとれるようになるのでしょうか。

2．話し上手は聞き上手

「話し上手は聞き上手」とは、人との会話がうまい人というのは、話し方が上手なのではなく、聞き方が上手な人であるという意味です。会話は、キャッチボールです。互いが自分勝手にボールを投げ合っていたら、キャッチボールには成り立ちません。一人が投げたボールを、もう一人がしっかり受け止めて、初めて会話として成立するのです。

それでは、聞くとはどういうことでしょうか。「きく」には「聞く」と「聴く」があります。「聞く」という漢字は、「門」と「耳」からできています。門の中に耳があることから、「門（自分の考え、さらに、先入観、偏見）を通して聞く」こととなり、自分の考えや判断を入れて聞く、自分の聞きたいことを聞くことといわれています。一方、「聴く」という漢字は「耳」と「目」と「心」からできています。つまり、「耳と目と心でしっかり聴く」こととなります。良好なコミュニケーションのためには、「聞く」ではなく「聴く」が大切なのです。したがって、「聴き上手」になることが大切といえます。

私たちは、普段、どのくらい人の話を聴いているでしょうか。自分の門を取り払って、自分の判断や考えを抜きに、相手の言葉に耳を傾けているでしょうか。反論の言葉を準備しながら聞いていませんか。

自分の聞き方を振り返ってみると、いかに自分が先入観や偏見、自分の考えや価値観をもって聞いているかに気づくのではないかと思います。会話のなかで、人の話を聴くということは、ある程度、意識して行なわなければ、決して「聴く」ことにはならないものなのです。

3．カウンセリングの核心となる積極的傾聴

カウンセリングには、積極的傾聴と呼ばれる手法があります。クライ

エントの話を積極的に聴き、こころを傾けるというもので、カウンセラーにとって必要不可欠な基本姿勢です。ほとんどのカウンセリングは、積極的傾聴によって成立するといってよいほどです。

　相手が自分の話を真剣に理解しようとして、一生懸命に聴いてくれたら、自然とこころを開いて、話したいという気になるはずです。カウンセラーとしてだけではなく、夫婦、親子、兄弟、上司、同僚、部下、仕事先の相手、友人、恋人など、どのような関係性でも、積極的傾聴を身につけることができたら、周囲との関係も良好になるはずです。

（1）積極的傾聴の基本姿勢

「聴く」ことで、話す人にどのような影響を与えることができるかを考えてみましょう。

　まず、自分の気持ちを理解してくれたという喜びをもたらします。自分の悩みをすべて打ち明け、思う存分に聴いてもらえれば、こころが楽になって、悩みに対しても何となく対処できるような気分になるはずです。相手が信頼できて、安心してこころの内を話せたときに、人は非常にすっきりするものです。反対に、わかってもらえなかったときは、いらだちを感じるものです。話し手の気持ちというのは、聞き手によって、また、その人の聴き方によって、非常に大きく左右されるものなのです。

　積極的傾聴のもともとの考えは、クライエント中心療法のロジャーズが提唱したものです（Part 1 Step 4-3参照）。ロジャーズは、カウンセラーがクライエントの立場になって、クライエントのこころの内を理解する聴き方をしたときに、初めてクライエントが本当の自分に気づき、自らの問題を自らの手で解決していけると説きました。つまり、積極的傾聴とは、相手の話を関心と共感をもって聴くことで、相手が自分自身のこころの内を整理でき、自らを理解し自信のある行動がとれるようになることを助ける聴き方なのです。

（2）積極的傾聴の３つの態度

積極的傾聴のためには、誠実さ、受容のこころ、共感的理解の３つの態度が必要です。

a．誠実さ

誠実さ（**純粋性**または**自己一致**）とは、相手に対して率直に話す態度をいいます。つまり、自分の気持ちと自分が話していることが矛盾していないということです。人は、感情の生き物であるため、常に非言語的コミュニケーション（Step 1-5参照）を行っているものです。

本当は「嫌だ！」と思いながらも、言葉では「それ、いいね！」と言うのは、誠実さに欠けているということです。しかも、いったん抱いた「嫌だ！」という感情は、非言語的コミュニケーションからのメッセージとして、無意識のうちに言葉よりも先に相手に伝わってしまうものなのです。それを隠して「いいね」と言っても、相手には話し手が誠実でないことのみが伝わり、それ以降の会話に悪い影響を与えます。

b．受容のこころ

受容のこころ（**無条件の肯定的な関心**）とは、相手の言うことを無条件に受け入れる態度です。つまり、それがどんな内容のものでも、話し手が言うことは、その人の体験に基づいた、その人なりの言葉であるということを認めてあげるということです。

上記aの誠実さでは、自分が誠実であるように努めて、自分に対して嘘をつかないように心掛けるということでしたが、受容のこころとは、相手に対しても、相手がもった意見や感情をいったんはそのまま受け入れるということです。相手の言うことや態度、行動を認めることができなかったり、納得できなかったりしても、そこで否定してしまうのではなく、受け入れます。受容のこころをもつことで、実は、相手の価値を本質的に認めることになります。

c．共感的理解

共感的理解とは、相手と共に考え、感じることです。相手の私的な世

界を、あたかも自分の体験のように感じ取ります。そして同時に、「あたかも」の部分を決して失わないことが大切です。つまり、上記ａｂの統合されたものともいえます。話し手の立場となり、相手の内面から理解することが必要なのです。

　共感的に理解したことを、相手に示すことも重要です。「あなたの話をよく聴き、あなたの立場に立って感じ、考え、このように理解しました」と相手にきちんと伝えることが必要です。

　以上の３つの態度を基本として、相手の言わんとすることの全体像を聴きます。言葉だけでなく、背後にある気持ちや考えを、相手の立場になって理解することが必要です。そして、こちらの理解したことを復唱したり、相手に確認しながら聴くというのが特徴です。
　積極的傾聴の姿勢は、カウンセリングに限らず、日常生活の会話でも大変重要なことなのです。

３．共感があるということ

　大辞泉（国語辞書）によると、「共感」は、「他人の意見や感情などにそのとおりだと感じること。また、その気持ち」とあります。人は、聞き手に共感があるときには、もっと話したい、もっと相手に自分のことをわかってもらいたいと思います。人は、本来、話を聞きたいという欲求よりも、話をしたい・話を聞いてもらいたいという欲求のほうが大きいのです。つまり、聞き手が共感してくれることによって、話し手はこの欲求を満たすことができて、「会話が弾む」という結果になります。しかし、実はこの共感することは、言葉でいうほど簡単なものではありません。

4．共感と同情の違い

　よく、「同情なんかしてほしくない！」という言葉を聞きます。このときの「同情」には、自分を弱者として見ないでほしいという意味合いが含まれていると考えられます。共感は、同情ではありません。共感とは、相手の感情や感性をその人なりに感じ取ることであり、同情とは、相手を弱者として見るというニュアンスが含まれるからです。さらに、同情には、聞き手のこころが、相手の感情や感性に取り込まれるニュアンスがあります。しかし、共感は、相手を弱者として見るのではなく、そのうえ、自分の感情や感性は相手に巻き込まれることなく、相手への心配りと人間的な関心を示すということです。このため、共感により、深い感情や敬うこころが相手に伝わります。

　特に、カウンセリングでは、自分は健康な人間で、相手は悩んでいる病人だというような見方をしてしまいがちです。これでは、共感することは難しいでしょう。聞き手の共感を得たと感じると、問題を抱えている人、病んでいる人、傷ついている人は、癒しを体験することができます。つまり、共感には、相手を癒すということが含まれているのです。

- 会話上手とは、「聴くこと」が上手な人をいう。
- 積極的傾聴はロジャーズのカウンセリング理論によって提唱された。
- 積極的傾聴は誠実さ、受容のこころ、共感的理解の3つで成立する。
- 共感とは、相手の感情や感性を、その人なりに感じ取ることである。

Step 2-2

積極的傾聴のポイント

実際にカウンセリングを行う際に一番大切なことは、相手の話を聴くことです。カウンセリングだけではなく、あらゆる場面でのコミュニケーションのために、「積極的傾聴」の基本姿勢とその方法を学びましょう。

1. 積極的傾聴の5つのポイント

積極的傾聴は、私たちが普段している会話とはずいぶん違うものです。まず、5つのポイントを見ていきましょう。

---

①相手の言うことを評価的（批判的）に聞かない。

②忠告やアドバイスは避ける。相手の「わかってほしい」という気持ちを受け止める。

③相手の言葉をさえぎらない。言葉を自分が引き受けないで、最後まで相手の「言いたいこと」を聴く。

④言語的コミュニケーションによるメッセージ、非言語的コミュニケーションによるメッセージを合わせて、全体の意味を聴く。

⑤相手の話を聴いて、自分が理解したことを復唱し、相手に確認する。

相手の考えを上手に聞き出すためには、まず、相手の話に関心があることを示すことが大切です。そして、相手が言っていることをよく聴き、それを理解していることを相手に伝えなくてはなりません。ときには、自分の理解が正しいかどうかを確認することも必要でしょう。自分の理解が違っていてもいいのです。確認することで、相手の話をしっかり聴こうとしている証しになるからです。

向かい合って話をしているだけでは、まだ相手には、こちらが聴いているかどうかわかっていません。私たちは、互いにうなづきあったり、相手の返事や反応を見ながら、相手が話をわかっているかどうか確認できると、安心して話を進められるのです。つまり、積極的傾聴とは、単にこころを傾けて聴くことだけではなく、聴いたことを相手に返すことが含まれるのです。

　以下、積極的傾聴の5つのポイントそれぞれについて見ていきます。

a．評価的に聞かない

　相手の言うことを、「それは正しい」「それは間違っている」、あるいは、「好き」「嫌い」などの価値判断を入れずに聴くということです。評価的に聞いてしまうと、相手は自分の言いたいことをきちんと伝えられなくなってしまいます。「こんなことを話したら、どう思われるかしら」と不安な気持ちを相手に感じさせたら、相手は自分の本音を打ち明けることができません。

　実際に、たいていの人は、相手の気持ちや言いたいことではなく、自分の聞きたいことを聞いてしまうものです。そして、多くの人は、そのことにすら気づいていません。

　当然、聴き手にも価値観や感情があります。しかし、積極的傾聴のためには、まず、自分の価値観をいったん脇に置いて、こころを空にします。そして、相手に対して、「あなたの話したいことを話したいように話してください」という気持ちになり、空いたスペースを提供するのです。自分の価値観を脇に置くことで、「この人は、どうしてそう感じているのだろうか」「何がこの人に、そういう行動を取らせているのだろうか」など、相手の立場になって、相手が感じていること、考えていること、していることを**人間的関心をもって理解できる**ようになります。

　たとえば、仕事を辞めたいと言っている人に、「今までがんばってきたのに、今辞めるのはもったいない。もう少し続けてみたら」「辞めてどうするの。再就職は難しいよ。次の職が決まってからでも辞めるのは

遅くないんじゃない」などと言いたくなるものです。しかし、それは、聞き手の価値観であって、決して悩んで限界を感じている相手の価値観ではないのです。しかし、だからといって、「そうですね、辞めるほうがいいかもしれませんね」などと、相手の言うことを100％肯定する必要もありません。受容するということは、相手の言い分を「正しい」と言うことではなく、なぜ、この（自分からすると間違っている）考えに至ってしまったのか、そう思うまでにどういうことがあったのだろうかと、話を続けさせることです。これが、**相手の考えを、批判的に聞かずに受容する**ということなのです。

b．忠告・アドバイスを避ける

　カウンセリングでの最も誤ったことの１つが、すぐにアドバイスをしてしまうことです。普段の会話では、相手が話を終了してないうちから「○○したら、どう」「○○のほうがいいんじゃない」などと口をはさんでしまうことが多々あります。すると、相手は話す気をなくしたり、「わかっているけど、できないから困ってるんじゃない！」などと反発してしまいます。

　一般に、クライエントは、「問題解決のためのアドバイスが欲しい」と期待する部分と、「自分が悩んでいる気持ちをわかってほしい」と期待する部分の両方をもっています。積極的傾聴では、まずは相手の「わかってほしい」という気持ちを満足させてあげることです。

　アドバイス自体が悪いわけではありません。しかし、相手にアドバイスを聞く準備がなければ、相手が、自分の意見を押し付けているとしか受け取られません。特に、人は、心理的にも相手を説得させて、相手のものの見方や考え方を変えさせたいという欲求があります。そのため、何もアドバイスや意見を挟まずに話を聴くことは、苦痛を伴うことがあります。

　しかし、人は、人の言葉によっては変わりません。人の言葉によって変わることがあっても、それは、自分で気づいてのことです。自分で気

づくためには、その人なりの時間と、**その人なりのこころの準備が必要**なのです。積極的傾聴は、相手のこころの準備の手助けをするということです。このため、アドバイスは不要なのです。

c．相手の言葉をさえぎらない・引き受けない

　相手が話している途中に、「ああ、あなたが言いたいのは、○○でしょう」などと、相手の言葉を引き受けてしまうことがあります。たとえば、次のようなことです。

> 話し手：「昨日、●●さんと会ったから、今度の集まりのことを話したんだけど……」
> 聞き手：「ああ、来ないんでしょう？　あの人、付き合い悪いから。この前だって誘ったのに、断られたんだ」

　すぐに自分の話にもっていく人、自分の思い込みで話をする人に対しては、こころを開いて話などできないものです。引き受けられた言葉が事実ならともかく、間違っていたらなおさらです。たとえば、先の例で、本当は、●●さんは「行く」と言っていた場合などです。相手が言葉に詰まっても、むやみに「○○ということでしょう」などと言葉を続けるのではなく、相手が自分の言葉で話せるように待つことが大切です。言葉に詰まっているときに、あれこれ口を出されると、混乱してしまいます。まずは、「ゆっくり考えて。私は待っていますよ」と相手に言葉や態度で伝えます。

　聴き上手の発する言葉は、あいづちがほとんどです。「なるほど」「へぇ」「そうですか」「うんうん」「それからどうなったのですか」といったあいづちを打ち、相手の話のリズムに乗っていきます。**相手の話したい・聞いてほしい欲求が強ければ、あいづちだけでも会話は進む**ものなのです。なぜなら、あいづちは、「あなたの話を聴いています。理解しています」というメッセージと、「あなたの話をもっと聴きたいで

す」というメッセージになるからです。

　そして、相手の気持ちに応えるためには、単に次の言葉を促すだけではなく、こころを支えてあげることが大切です。そのためには、あいづちのなかにも、「ああ、それは大変でしたね」「つらかったですよね」などのように、相手の気持ちを汲む言葉を挟むことが大切になってきます。

d．全体の意味を聴く

　相手が話している言葉（言語的コミュニケーション）で内容を理解することは大切ですが、同時に、言葉以外の方法で発しているメッセージ（非言語的コミュニケーション）に注意を払う必要があります。Step 1-5で学習したように、非言語的コミュニケーションのほうが、相手の本音を伝えている場合が多々あるからです。相手の声、表情、目線、息づかい、手の震えなどと、相手の言葉とあわせて、相手の言いたいことの全体を聴き取ることが大切です。

　また、非言語的コミュニケーションから相手の気持ちや感情が推測できたときには、「あなたは、○○という感じだったのですか」と率直に尋ねることも大切です。たとえ、経験を積んだカウンセラーでも、相手のサインを読み間違える場合があります。「どのように感じたのですか」「私には、あなたが○○と感じたように聞こえますが、そうだったのですか」などと質問するのもいいでしょう。

e．復唱・確認する

　相手の話を聴いて、自分が理解したことを「あなたの言いたいことはこういうことですか」と復唱し、相手に確認（フィードバック★1）します。このとき、「つまり、あなたの言いたいことは、こういうことですね」と決めつけるような言い方をしてはなりません。上記dで述べたように、間違って理解することがあるからです。「○○ですか」と疑問形にするか、「私には○○と聞こえたのですが……」という聞き方をします。また、相手の言いたいことがわからない場合には、「今の部分です

が、ちょっとわからなかったので、もう一度言っていただけますか」と率直に聞くことが大切です。聞き取れなかったり、意味がわからなかったりして、聞き返すことは、言葉遣いや聞き方に注意すれば、失礼なことではありません。わかったふりで話を進めてしまうことが、無責任で一番よくないことなのです。

　復唱・確認が行われると**話の整理ができ、相手も一息つくことができる**効果があります。相手は、「ああ、自分はこんなことを考えていたのか」と改めて自分の気持ちを確認することができるのです。

　人は、自分が本当に言いたいことがはっきりせずに、あいまいなまま伝えていることが多いのです。そこで、聞き手が話し手の考えを要約してあげることで、メッセージの真意が相手のなかでも明確になります。

2. 積極的傾聴はカウンセラーとしての基本

　上記1に5つのポイントを述べましたが、これがカウンセラーとしての基本であることを忘れないようにしてください。もっといえば、周囲との円滑な人間関係を築く基本的姿勢です。まずは、日常の会話で積極的傾聴の練習をしてみましょう。カウンセラーは常に、**クライエントこそ会話の最上の案内人である**という気持ちを忘れてなりません。

> **カウンセラーとしての資質は、積極的傾聴にある。**

用語解説

★1　フィードバック：行動や反応をその結果を参考にして修正して、より適切なものとすること。対人コミュニケーションにおいては、受け手が語り手の声を反映させることをいう

Step 2-3

積極的傾聴の実践

積極的傾聴を実践するために、ここでもう一度、注意する点を学んでいきましょう。本項では、積極的傾聴で必要なこと、つまり、カウンセラーとしての必要な条件といえるものをまとめます。

 ## 1．相手を信頼する

　まずは、相手を信頼する態度です。信頼関係のことを、**ラポール**といいます。一方的ではなく、相互に信頼感をもつことが大切です。
　相手を信頼するということは、相手の価値を認めて、その人なりの考えに沿って話を聴くということです。**人は、自分で気づき、自分で問題を解決していく力をもっている**のです。その力を相手にも認めることが、相手を信頼することになります。その信頼感は、必ず相手に伝わります。そして、人は信頼されていると感じると、こころを開いてくるものです。

 ## 2．相手に関心をもつ

　次に、相手に関心をもち、話を聴きたいという態度を示すことです。話を促すようなあいづちを打つこともそうですが、態度にも自然と表れてくるものです。身を乗り出し、目を合わせながら、「うんうん」とうなづいている人と、目を合わせず、つまらなそうな表情の人とでは、どちらに話したいと思うでしょうか。「自分に関心をもってくれている」「自分の話を聴きたがっている」という気持ちが相手に伝わるような言葉や態度が必要です。

3．集中力をつける

　話を聴くためには集中力が必要です。耳だけでなく、目や全身の神経を集中して聴かなければ、相手の言葉や非言語的コミュニケーションを聞き逃したり見逃したりしてしまいます。しっかりと人の話を聴くためには、集中できる環境をつくることも大切です。ただし、集中しすぎて、それが相手に威圧感を与えるようなことになってはいけません。落ち着いた場所、邪魔が入らない環境、さらに、自分自身も疲れていなくて、こころとからだに余裕のあることが望ましい状態です。

 ## 4．率直さをもつ

　相手の話が理解できないときには、理解できないことを率直に聞ける素直さが大切です。わかったふりや勝手な解釈は、せっかく築いてきた信頼関係を壊すことにもなりかねません。いったん相手との信頼関係が壊れると、なかなか取り返しのつかないものです。理解できないことはきちんと聞くことこそ、誠実であるといえます。

 ## 5．言葉に注意する

　カウンセラーとして積極的傾聴を実践する際、問題となる言葉があります。それらの言葉について、気をつけなくてはならない理由と望ましい対応のしかたを見ていきましょう。

a.「大丈夫だよ」×

　相手が悩んでいたり、落ち込んでいるとき、相手を励まそうとして「大丈夫だよ」「たいしたことないですよ」などと言ってしまうことがあります。しかし、何をもって大丈夫というのか、真実味がありません。このような無責任な励ましの言葉は、相手に「自分のつらい気持ちをわ

かってもらえない」と思われる可能性があります。

b.「そんなふうに考えたらだめだよ」✕

相手の悩みに対し、「あなたの考えすぎだ」などと言ってしまうと、「自分の気持ちを否定された」と感じさせてしまう可能性があります。相手は、実際にそのような考えに至っているからこそ悩んでいるのです。考えに至った経緯を聴くことのほうが必要なのです。

c.「がんばって」✕

相手を元気づけようとして、「がんばって」と励ますこともよくあります。「よし、がんばるぞ！」と思える場合もありますが、かえって本人の負担となることも少なくありません。特に、うつ状態の人に対しては、本人はがんばろうとしても、自分ではどうしようもなく、エネルギーがなくて力も元気も湧いてこない状態なので、励ましの言葉が相手を追い詰めてしまうことがあるため、注意が必要です。

d.「わかる、わかる」✕

自分にも似たような経験があると、「ああ、わかる、わかる」と同意することがあります。しかし、同じような経験であっても、感じ方や考え方は人それぞれです。仮に、まったく同じ経験をしても、自分の受け止め方と相手の受け止め方は違います。話を聴くときには、わかったつもりにならずに、きちんと相手の考えや気持ちを確かめてください。

e.「なぜ？どうして？」

相手の話を引き出すときに、「なぜ」「どうして」という聞き方は、繰り返されたり、畳み掛けるように行うと、相手が問いつめられているように感じることもあります。相手の言葉が出にくいときは、沈黙を避けて次々と話しかけるのではなく、相手が自分の言葉で話し出すのを待つことも必要です。

6．相手の言葉への応対に注意する

　相手の追い詰められたような言葉に対しても、冷静に対応する必要があります。望ましい対応のしかたを見ていきましょう。

a．「どうせあなたにはわからないだろうけど……」

　「どうせあなたにはわからない」という言葉は、「あなたには理解できないだろう」と言っているのではなく、「あなたには理解できないくらいつらいのだ！」と訴えたい場合が多いのです。このため、「そんなことないよ、わかるよ」というのは、正しい返答ではないのです。むしろ、「わかるよ」と答えてしまうと、「あなたに何がわかる！」と反発される可能性があります。「そうですね。あなたの苦しみは、あなたにしかわからないですよね」と、本人の苦しい気持ちを受け止めてあげることが正しい対応なのです。

b．「ほっといて」

　つらくて苦しいとき、人に立ち入ってほしくないという気持ちになることはよくあります。相手が「あなたには関係ないでしょう!?」「放っておいて」と言ったとき、「放ってはおけない」と相手にかまいつづけると、かえって相手のこころを苦しめることがあります。ただし反対に、「それなら、もう知らない！　勝手にすれば」と突き放すような態度もよくありません。相手の「今はかまってほしくない」という気持ちを尊重しつつ、「話したくなったら、話してください。それまで待っています」というメッセージを伝えることが、望ましい対応といえます。

- 相手を信頼すること、相手に関心をもつことが必要である。
- カウンセラーには、率直さも必要である。

Step 2
理解度チェック

問 1 次の積極的傾聴に関する文章で、正しいものには○を、間違っているものには×を解答欄に記入してください。

[   ]（1）積極的傾聴とは、ユングの提唱したカウンセラーの基本姿勢である。

[   ]（2）積極的傾聴とは、相手の話に積極的に介入し、アドバイスをするという聴き方である。

[   ]（3）積極的傾聴の目的は、相手が自らを理解し、自信ある行動が取れるように助けることである。

[   ]（4）積極的傾聴のポイントは、相手の言うことを聴き、客観的に判断評価することである。

[   ]（5）積極的傾聴では、忠告やアドバイスは一切してはならない。

[   ]（6）積極的傾聴では、相手の「言いたいこと」を推測し、スムーズに話せるよう言葉を選んであげるとよい。

[   ]（7）積極的傾聴では、相手の言いたいこと全体の意味を聴く。

[   ]（8）積極的傾聴では、相手の話を要約し、相手にその内容を確認する。

問 2 積極的傾聴のための3つの態度を解答欄に記入してください。
[   ] [   ] [   ]

問3 次のようなときに考えられる対応方法の「良い例」と「悪い例」を解答欄に記入してください。

（1）相手が落ち込んでいて、つらそうにしているとき

　　良い例 [　　　　　　　　　　　　　　]

　　悪い例 [　　　　　　　　　　　　　　]

（2）自分と同じような経験をして苦しんでいるとき

　　良い例 [　　　　　　　　　　　　　　]

　　悪い例 [　　　　　　　　　　　　　　]

（3）「放っておいて！」と言われたとき

　　良い例 [　　　　　　　　　　　　　　]

　　悪い例 [　　　　　　　　　　　　　　]

Step 2 理解度チェック 解答と解説

問 1

(1) 解答：×
　　解説：積極的傾聴は、ロジャーズが提唱したカウンセラーの基本姿勢です。

(2) 解答：×
　　解説：積極的傾聴とは、相手の話に関心と共感をもって話を聴くことです。

(3) 解答：○

(4) 解答：×
　　解説：積極的傾聴のポイントとして、相手の言うことを評価的（批判的）に聞かないことです。

(5) 解答：×
　　解説：アドバイスをしてはならないのではなく、相手の状態や相手との信頼関係、相手の立場から見て、適切なアドバイスができるかどうかを見極めなければならないということが必要です。

(6) 解答：×
　　解説：相手が自分の言葉で話せるように待つことが必要です。

(7) 解答：○

(8) 解答：○

問 2

解答：誠実さ　受容のこころ　共感的理解

問 3

（1） **良い例**：相手の気持ちを支持する。
　　　悪い例：励ます。相手の考え方や気持ちを否定する。
（2） **良い例**：相手の気持ちを聴き、受け止める。
　　　悪い例：安易な同意をする。自分の経験談を話す。
（3） **良い例**：相手の気持ちを尊重し、話す気になるまで待つ。
　　　悪い例：かまい続ける、突き放す。

memo

Part 5

ストレスって、何だろう？

―ストレス対処法の基本を知ろう―

Step 1-1

ストレスとは何か

こころもからだも健康で毎日を過ごすには、ストレスと上手に付き合っていくことです。ストレスの正体を知り、ストレスをコントロールする方法を身につけましょう。

1. ストレスとは

　厚生労働省「労働者健康状況調査」によると、仕事や職業生活でストレスを感じている労働者の割合は、6割を超えています。厚生労働省「国民生活基礎調査」結果でも、12歳以上で日常生活にストレスを感じている人は5割に届きそうです。

　こんなにも多くの人が日常で感じている**ストレス**とは、一体、何者なのでしょう。

　ストレスとは、もともとは物理学の用語であり、外部から力が加えられたときに生じる「歪み」のことをいいます。これを、カナダの生理学者であるハンス・セリエ★1が、生物や医学の領域に導入して一般化されました。

　ストレスを引き起こす外部からの刺激を、**ストレッサー**といいます。ストレッサーによって引き起こされる生体反応を、ストレスあるいは**ストレス反応**と呼びます。ストレッサーとストレス反応は、よく風船にたとえられます。風船を指で押さえたり、力を加えると、風船は凹んだり歪んだりします。指で押さえる力が、ストレッサーで、風船の状態がストレス反応です。最初のうちは、指を離せばすぐに元の状態に戻っていた風船も、繰り返すうちに、だんだんと萎んできたり、ある刺激をきっかけにパチンと割れてしまうこともあります。

ストレッサーのことを指してストレスという場合もありますし、ストレス反応まで含めた状態を指してストレスという場合もあります。

外部からの刺激は、すべてストレッサーとなります。刺激の種類によって、**図24**のように分類できます。

●**図24　ストレッサーの分類**

刺激の種類	ストレッサーの例
環境的要因（物理化学的ストレッサー）	天候、気温、気圧、騒音、振動、有害物質など
身体的要因（生物学的ストレッサー）	ケガ、病気、疲労、睡眠不足、栄養不足など
心理社会的要因（心理社会的ストレッサー）	人間関係、不安、緊張、焦り、悩み、精神的苦痛、プレッシャーなど

「日常生活にストレスがある」という場合は、心理社会的ストレッサーによる生活環境への影響をいうことが多いです。しかし、これらのストレッサーは別々に作用するのではなく、密接に、複雑に関連して、ストレス反応を引き起こしているといえます。

2．ストレッサーとストレス反応

ストレスとは、外部からの刺激によって引き起こされる生体側の歪みです。外部から何らかの刺激が与えられると、**ホメオスタシス**（生体の恒常性）が乱れ、防御反応を引き起こします。この生体反応が、ストレスで、それ自体は生物に備わった自然な反応です。

ヒトに限らず生体には、ストレスから身を守り、ホメオスタシスを維持しようとする働きが備わっています。ストレッサーに対して、身を守るために「**闘うか、逃げるか**」戦闘態勢を整えている状態で、ストレス

の種類に関わらず、類似した反応を示します。**汎適応症候群**[★2]あるいは全身適応症候群と呼ばれます。

　この反応は、時間の経過とともに変化し、警告反応期、抵抗期、疲憊期の3段階に分類されます。(Step1-2参照)

　ヒトでは、ストレス反応は、身体面、精神・心理面、行動面の変化や症状として現れます。ただし、ストレス反応として現れる症状には個人差があり、複数のストレッサーが複雑に影響を及ぼしていることも多いので、同じような状況に置かれているようにみえても、個人によって心身への影響は異なります。

　ストレス反応自体は、生物としての自然な反応であり、即「**ストレス＝悪いもの**」と決めつけてしまわないことです。ストレッサーを「脅威である」と判断するのは、認知的評価であり、**こころの働き**です。

　ストレス反応は、からだやこころが発するメッセージととらえましょう。正確に読み取り、適切に対応することが重要です。ストレス反応への対応を間違え、ストレス状態が適切に解消されず、日常生活に支障が生じてしまうことが問題となるのです。

3. リラックス反応

　ストレス反応と相対する生体反応に、**リラックス反応**があります。ストレス反応が戦闘態勢であるとすれば、リラックス反応は**非戦闘態勢**で、休息して疲労を回復し、新たなエネルギーを蓄えようとする反応です。安全で安心できる環境にあると判断したときに、自然に引き起こされる反応です。生物にとっては、リラックス反応の最たるものが**睡眠**であるといえるでしょう。生体としては、活動と休息・睡眠のバランスがとれていることが必要です。

　リラックス反応が引き起こすリラックス状態とは、からだもこころも、緊張やストレスから解放された状態です。ゆったりとした気分でく

つろいだ状態です。リラックス状態では、不安や緊張は生じにくいです。

ストレス反応とリラックス反応は相容れません。ストレス状態が続いて、必要な休息がとれていないときは、**意図的にリラックス状態を引き起こすような対応が求められます**。

風船の例でいえば、萎んできた風船に空気を追加して膨らましたり、割れそうな表面を補修したりするイメージでしょうか。

4. 社会環境とストレス要因

人間が2人集まると社会が生じるといいます。わたしたちは、人間の集合・集団の中で関わり合いながら生きています。周りの環境、人間関係はストレスに影響を与えます。特に、日常生活に大きな変化をもたらす**ライフイベント**は、強いストレスとなります。新しい環境や状況に適応しようと、大きなエネルギーを必要とするからです。

さまざまな人生のできごとが、どのくらいのストレスとなるか、その度合いを点数化した社会的再適応評価尺度（SRRS）[3]によると、「配偶者の死」「離婚」「ケガや病気」「結婚」「失業」などの出来事が強いストレッサーとなっています。

よくも悪くも、**「変化」が生じたときはストレスとなりやすい**ということを知っておきましょう。

- ストレス反応それ自体は、生体として自然な反応である。
- ストレッサーを脅威と判断するのはこころの働きである。

用語解説
- [1] ハンス・セリエ：ストレス概念を、生体に生じる生物学的変化を表すものとして、医学の領域に導入
- [2] 汎適応症候群：セリエが提唱した概念
- [3] 社会的再適応評価尺度（SRRS）：アメリカの精神科医であるホルムスとレイが作成した個人のストレッサーの強さの指標

Step 1-2
ストレスが心身に及ぼす影響

ストレスは、からだにもこころにも、さまざまな影響を及ぼします。からだやこころが発するメッセージととらえ、それを知ることで、不調に早めに気づき、対応することができます。

 1．ストレス反応のしくみ

　ストレス反応とは、ストレッサーに直面して、「**闘うか、逃げるか**」といった差し迫った事態に対応するためのものでした。よって、闘ったり逃げたりすることに必要な力は最大化され、エネルギーが消費される態勢が整えられます。逆に、当面は必要ない機能は最小化されます。

　ストレス反応とは、ストレッサーによって生体に備わっているホメオスタシスの維持機能★1のバランスが崩れ、それを立て直そうとする反応です。特に、**視床下部 - 下垂体 - 副腎系**が重要な役割を担います。

　ストレッサーによって視床下部★2が刺激されると、下垂体からホルモンを分泌させたり、さらに副腎からホルモンを分泌させたり、内分泌系や自律神経系に影響を与えます。この内分泌系と自律神経系の変化が、免疫系に影響して、さまざまなストレス反応を生じさせます。

 2．ストレスと自律神経系

　交感神経と**副交感神経**からなる**自律神経系**は、意思とは無関係に、ホメオスタシス維持のために働きます。交感神経と副交感神経は、互いに反する作用をもち、一方が促進すると、他方が抑制され、バランスをとっています。

ストレスを受けると、自律神経のうち**交感神経**が活発になり、心拍数・心拍出量の増加、呼吸数の増加、血圧の上昇、血糖値の上昇、筋肉の緊張などがみられ、胃腸運動や唾液や消化液の分泌は抑制されます。

●**図25　交感神経と副交感神経の働き**

交感神経	部位	副交感神経
拡大	瞳孔	収縮
抑制	涙の分泌	促進
少量の濃い唾液	唾液	大量の希薄な唾液
拡張	気管支	収縮
収縮	血管	拡張
増加	心拍数	減少
上昇	血圧	低下
上昇	血糖	低下
抑制	消化管運動	促進
立毛筋収縮	皮膚	―
亢進	発汗	―
抑制	排尿	促進

3. ストレスによる生体反応と栄養

　ストレスによって、副腎髄質ホルモンのアドレナリンやノルアドレナリンの分泌が増加します。また、副腎皮質ホルモンのグルココルチコイドの分泌が増加します。グルココルチコイドの分泌によって、体たんぱく質の異化（分解）が進みます。

　たんぱく質の分解が促進されるので、ストレス状態では、**たんぱく質**の需要が高まります。また、副腎皮質ホルモンの分泌に関わるビタミンCが消耗され、**ビタミンC**の必要量は増加します。ストレスによる代謝の亢進に伴って、**ビタミンB群**の需要も高まります。

4．ストレス反応の変化

ストレス反応を時間の経過とともにみていくと、次のような変化を示します。

---

1. 警告反応期

ストレッサーから生体を防御しようと、一連の反応・機能が働く段階

ショック相＝ストレッサーに突然さらされショックを受けている

体温、血圧、血糖値などが低下、神経系の活動抑制、血液濃縮、消化管に潰瘍が生じるなど

↓

反ショック相＝生体がショックから立ち直り、ショック相と反対の反応を示す

体温、血圧、血糖値などが上昇、神経系の活動開始、筋肉の緊張が高まるなど

↓

2. 抵抗期

ストレッサーに対して、積極的に抵抗し、適応しようとする段階

ストレッサーに対して、生体の抵抗力が高まる

副腎皮質ホルモンなどが分泌され、抵抗力が高まり、活動性が高まった状態で、ストレッサーと生体でバランスがとれている

↓

3. 疲憊期

ストレッサーにさらされ続けた結果、生体の抵抗能力が消耗してしまう段階

ストレス状態が持続し、生体が適応状態を維持できず、破綻してしまう

ストレスにより、身体面、精神・心理面、行動面にさまざまな症状がみられます。

a. 身体面
動悸、息苦しさ、手足のしびれ、のぼせ、頭痛、肩こり、倦怠感、疲労感、目の疲れ、食欲低下、胃痛、嘔吐、下痢、便秘、睡眠障害など

b. 精神・心理面
緊張感、イライラ、不安感、焦燥感、抑うつ感、無気力、意欲低下、情緒不安定など

c. 行動面
攻撃的行動、過激な行動、過食、飲酒量・喫煙量の増加、判断力の低下、注意力散漫、ミスの増加など

上記のような症状がみられたからといって、すぐ病気であるということではありません。しかし、不調を感じながらがまんしたり、ストレッサーのある生活を変えないで、同じようなストレス状態を長く続けていると、いつか、こころもからだも限界を超えてしまいます。

自分はどのような症状が出やすいのか、どの程度が限界なのか、リカバリーあるいはリセットするには何が必要なのか、などを知っておくことで早めに対応することができます。

- ストレスを受けると交感神経が活発になる。
- ストレスでたんぱく質、ビタミンC、ビタミンB群の需要が高まる。

用語解説
- ★1 ホメオスタシスの維持：おもに、自律神経系、内分泌系、免疫系がバランスをとっている状態
- ★2 視床下部：自律神経と内分泌系の中枢。視床下部と視床を間脳といい、中脳、橋、延髄とあわせて脳幹と呼ばれる

Step 1-3

ストレスと病気

ストレスは、対応を誤るとあらゆる病気の元凶となってしまいます。こころの病気だけでなく、よく知っているからだの病気も、実はストレスが深く関わっていたという場合もあります。

 1. ストレスとからだの病気

　ストレッサーの作用が強かったり、ストレス状態が長く続くと、ホメオスタシスが維持できなくなり、さまざまな障害が生じます。

　ストレスの身体反応が引き起こす障害・病気の代表が、**心身症**です。

　心身症とは、「身体疾患の中で、その発症や経過に心理社会的因子が密接に関与し、器質的ないし機能的障害が認められる病態をいう。ただし、神経症やうつ病など、他の精神障害に伴う身体症状は除外する。」と定義[★1]されています。

　心身症というひとつの病気ではなく、病気の起こり方や進行にストレスが密接に関与している**からだの病気全般の総称**です。

　高ストレス者の場合に留意すべきストレス関連疾患（心身症）として、**図26**のようなものがあげられます。

　よく耳にする病気も多いのではないでしょうか。ただし、これらの病気がすべてストレスから発症するということではありません。

　心身症では、その症状がストレスからくる心身症以外の病気ではない、ということを確定させるために、まず、**除外診断**を行います。安易に「ストレスのせい」と決めつけてはいけないということです。

●図26 ストレス関連疾患（心身症）

部位	主な症状
呼吸器系	気管支喘息、過換気症候群
循環器系	本態性高血圧症、冠動脈疾患（狭心症、心筋梗塞）
消化器系	胃・十二指腸潰瘍、過敏性腸症候群、潰瘍性大腸炎、心因性嘔吐
内分泌・代謝系	単純性肥満症、糖尿病
神経・筋肉系	筋収縮性頭痛、痙性斜頸、書痙
皮膚科領域	慢性蕁麻疹、アトピー性皮膚炎、円形脱毛症
整形外科領域	慢性関節リウマチ、腰痛症
泌尿・生殖器系	夜尿症、心因性インポテンス
眼科領域	眼精疲労、本態性眼瞼痙攣
耳鼻咽喉科領域	メニエール病
歯科・口腔外科領域	顎関節症

　心身症の場合、からだの症状の治療だけでなく、ストレスに対するこころの面からの治療も必要となります。

　また、ストレスによって自律神経の調整機能に狂いが生じて、さまざまな症状が現れるものを、まとめて**自律神経失調症**ということがあります。「検査をしても、その症状を裏づける所見が見いだされず、また器質的病変がないのにさまざまな不定愁訴を訴える状態」と定義されるように、症状はさまざまで、明確に診断するのは困難です。あいまいなときに便利な病名として利用されているケースも多いようです。

 2．ストレスとこころの病気

　ストレッサーが直接的な原因となるものには、適応障害や外傷後ストレス障害（PTSD）などがあります。DSM-5では、心的外傷およびストレス因関連障害★2としてまとめられています。

（1）適応障害

抑うつ気分、不安、攻撃的行動などの行動障害、身体的訴え、社会的引きこもりなどの症状がみられます。

はっきりと確認できるストレッサーの発生から、3か月以内に不適応症状が出現します。

ストレッサーがなくなれば、6か月以内に治癒します。

（2）外傷後ストレス障害（PTSD）

非常に強いストレス状況を体験した（心的外傷）後に、強い恐怖や無力感、感情の麻痺、心的外傷の再体験（フラッシュバック）、外傷体験に関係ある状況や場面、人物を避ける、睡眠障害、過剰な警戒心、などの症状が現れるものを、外傷後ストレス障害（PTSD）といいます。

a. 急性ストレス障害

外傷後、4週間以内に起こり、最低でも2週間、最大で4週間持続します。

b. 外傷後ストレス障害

4週間以上症状が持続している場合に、診断名が変更されます。

非常に強いストレス状況とは、自分や他人の生命に危険が及ぶような状況が想定され、戦闘、暴行、誘拐、人質、テロ、拷問、監禁、災害、事故などがあります。子どもの場合は、虐待も心的外傷となります。

ただし、症状の出現のしかたは、**個人差が大きい**といえます。

（3）神経症

ストレスによるこころの病気の代表的なものは、神経症★3です。

a. 不安神経症

パニック障害（強い不安感、急性の呼吸困難、心悸亢進、窒息感、め

まい感など）と全般性不安障害（慢性の不安状態）があります。

b. 恐怖症

対人恐怖、外出恐怖、動物恐怖、高所恐怖、密閉恐怖などがあります。

c. 強迫神経症

強迫観念と強迫行為（鍵をかけたか不安で何度も確かめてしまうなど）があります。

d. 心気症

心身の些細な違和感や変化を、重篤な病気と疑い、検査の結果でその可能性を否定されても、こだわりを捨てられない状態です。

ストレスが、**うつ病**や**認知症**発症の誘因となったり、さまざまな病気の症状を悪化させたりすることも知られています。

- ストレスによるからだの病気の代表的なものは、**心身症**である。
- ストレスによるこころの病気の代表的なものは、**神経症**である。

用語解説

★1　心身症の定義：1991年日本心身医学会による定義
★2　心的外傷およびストレス因関連障害：適応障害とPTSDは、DSM-4では不安障害のカテゴリーに含まれていたが、DSM-5への改訂で別のカテゴリーとなった
★3　神経症：神経症という診断名は、アメリカ精神医学会によるDSMや、WHOによるICDでは用いられていない

Step 1
理解度チェック

問1 次のストレスについての文章で正しいものには○を、間違っているものには×を解答欄に記入してください。

[　]（1）ストレスは、もとは物理学の用語で「歪み」のことである。

[　]（2）その人にとってのストレス状況は常に一定で、変わることはない。

[　]（3）ストレスは量の問題であるので、内容はあまり気にしなくてよい。

[　]（4）ストレス反応は、からだの反応とこころの反応の両方である。

[　]（5）ストレスは副交感神経を活発にする。

問2 次の文章で正しいものには○を、間違っているものには×を解答欄に記入してください。

[　]（1）心身の不調はがまんしていれば慣れるので、がまんすることが大切である。

[　]（2）ストレスは、循環器系や消化器系の不調となって表れることがある。

[　]（3）ストレスは悪影響を及ぼすので、できるだけ取り除くべきである。

[　]（4）ストレス状態では、筋肉が収縮し、血圧は急激に低下する。

[　]（5）リラックス状態では、一般に血管は拡張し、心拍数は低下する。

問3 次の心身症に関する文章の［　　］にあてはまる語句として、下の語群から、最も適切なものを選び解答欄に記入してください。

心身症は、［ ① ］によって［ ② ］を呈する疾患であり、その診断や治療において［ ③ ］な面への配慮が重要な疾患である。心身症と診断するためには、身体面の検査を行う［ ④ ］。

① ［　　　　　］　② ［　　　　　］　③ ［　　　　　］
④ ［　　　　　］

【語群】

性格　ストレス　身体症状　精神症状　心理的　器質的
必要はない　必要がある

Step 1
理解度チェック 解答と解説

問1

(1) 解答：○

(2) 解答：×
　　解説：複数のストレッサーが複雑に影響を及ぼしていることも多く、ストレス状況は、常に変化します。

(3) 解答：×
　　解説：ストレスは、量だけでなく、その内容も重要です。

(4) 解答：○

(5) 解答：×
　　解説：ストレスにより、交感神経が活発になります。

問2

(1) 解答：×
　　解説：がまんを続けていると、こころもからだも限界を超えて、病気になってしまいます。病気になってしまう前に、早めに対応することが大切です。

(2) 解答：○

(3) 解答：×
　　解説：ストレス反応自体は生物としての自然な反応であり、ストレスをなくしてしまうことはできません。自分のストレスを知り、上手にコントロールすることが重要です。

(4) 解答：×
　　解説：ストレス状態では、交感神経が活発になるので、血圧は上昇します。

（5）解答：○

問3

解答：①ストレス　②身体症状　③心理的　④必要がある

memo

Step 2-1
ストレス対処法

ストレスとは、外部からの刺激によるこころとからだの変化です。自分自身の向き合い方次第で、良いストレスにも、悪いストレスにもなり得ます。

 ## 1. 良いストレス・悪いストレス

　過剰なストレスは、こころとからだに悪影響を及ぼします。しかし、まったくストレスのない状態が1番望ましいといえるでしょうか。ストレスとは、外部からの刺激によるこころやからだの緊張状態をいいます。外部からの刺激はすべてストレッサーとなり得るので、ストレスをまったくなくすということは不可能です。

　適度な緊張感が、集中力を高めたり、刺激や変化のある日常がこころとからだを活性化させたりします。**快いと感じる程度のストレスは、日常生活にいい影響**を及ぼします。

　また、私たちには耐性というものがあり、同じ刺激を繰り返し受けていると、だんだんそれに適応できるようになり、さらに強い刺激にも耐えられるようになっていきます。

　欲求が満たされない状態（フラストレーション）に対応できる能力は、いろいろな経験によって形成されます。いろいろな場面でがまんすることを覚えていくのです。たとえば、小さいときに、家では求めるものを何でも与え、フラストレーションがない状態で過ごしてしまうとどうなるでしょう。大きくなって社会の中でより大きいフラストレーションの状態に直面したときに、うまく対応できない状況を想像することができるでしょう。

ストレスは、日常を活性化し、適応力や抵抗力を高めてくれる範囲では、必要なものです。しかし、その範囲を超えてしまうと、日常生活を障害するものとなってしまいます。不快と感じるストレスを、がまんして溜め込んでしまうことが問題なのです。

　ストレスは、その内容と程度によって、良いストレスにも、悪いストレスにもなり得るということを理解しておきましょう。

２．ストレスに強くなる

　ストレスに対して、どの程度まで障害が生じることなく耐えられるかを、**ストレス耐性**といいます。ストレス耐性が高い人は、ストレスに強い人です。ストレス耐性とは、ストレスに対する脆さ、弱さと言い換えることもできます。ストレス耐性が低いと、ちょっとしたストレスでもこころやからだ、日常生活に支障をきたしてしまうことになります。

　同じストレッサーでも、どの程度のストレスを感じるかは、個人によって異なります。たとえば、初対面の人と話すことが苦痛で、できれば避けたいという人もいれば、自分からどんどん話しかけたいという人もいます。

　ストレッサーの種類によって、ストレス耐性が異なることもあります。たとえば、何をするにしても、「期待しているよ」という言葉をかけられた途端、プレッシャーに押しつぶされそうになってしまう人もいます。

　ストレス耐性に影響を与える要因として、ひとつは、性格、考え方、行動のパターンなど、パーソナリティがあります。もうひとつは、さまざまな人生経験が挙げられます。

　ストレス耐性は生まれつきに決定されているものではありません。運動でからだを鍛えることができるように、**意識的にストレス耐性を高めていくことは可能**です。ストレス耐性を高めることには、ストレッサー

に強くなること、良いストレスにできること、こまめに解消できることなどが含まれます。

　ストレス耐性を高めるためには、まず、どのようなことがストレスになっているのか、そのストレスはどの程度の影響を与えているのか、ストレスへの対処法として何が有効か、など客観的に把握し、理解していくことが必要です。単純にストレスの原因自体を減らすことを中心におくのではなく、自分なりの方法で適切に対処し、ストレスをコントロールして上手につき合っていくのが望ましいと考えられています。これを、**ストレス・マネジメント**と呼びます。

3．ストレスを分析する

　ストレス・マネジメントは、自分のストレスについて知ることからはじまります。

ストレス状況を把握する

・何が**ストレッサー**となりやすいのか？

→仕事が忙しいこと、自分の時間が取れないこと、家事・育児・介護が完璧にできないこと、同僚との付き合い方、家族関係、予定通りにいかないこと、変化がないこと、期待されすぎること、目立つこと、評価されないこと、睡眠不足、空腹、体調不良　など

具体的なストレス反応を把握する

・**身体面**に出やすい反応は？

→お腹が痛くなる、頭痛がする、動悸がする、食欲不振　など

・**精神・心理面**に出やすい反応は？

→イライラする、怒りっぽくなる、集中力がなくなる、マイナス思考になる　など

・**行動面**に出やすい反応は？
→食べ過ぎる、飲み過ぎる、動作が遅くなる、雑になる　など
・どの面に**反応**がでやすいのか？
→やけ食いしてしまって気づくなど、行動面の変化で自覚することが多い　など
・自分で適切に**対処**できるか、外部のサポートが必要か？
→趣味に打ち込むことで解消できる、友人と話すことで解消できる、休養が必要、介護サービス導入の検討が必要　など
・**現在**、ストレスとなっているか、悪化していないか？
→このままでは悪化してしまうので、何らかの対応が必要　など

4．周囲の環境を分析する

　ストレスの緩和には、周囲の人々からの支援が有効です。**ソーシャル・サポート**といい、4つの側面からの支援が期待できます。

情緒的支援
　共感、配慮、信頼など、人間関係の情緒的結びつきによる支援
道具的支援
　仕事を分担したり、看病したり、経済的に支援したり、直接的支援
情報的支援
　有益な情報を提供して、活用してもらおうとする支援
評価的支援
　その人の考えや行動を認める支援
　どのようなソーシャル・サポートが期待できるか、どのようなソーシャル・サポートが有効に働くかを把握しておきます。

ストレス・マネジメントでストレス耐性を高める。

Step 2-2

ストレス・コーピング

ストレスに直面したときの対処方略を、ストレス・コーピング[*1]といいます。ストレス・コーピングを意識することで、ストレスに自信をもって向き合えるようになります。

1. 情動焦点型コーピングと問題焦点型コーピング

ストレス・コーピングには、大きく2種類あるとされています。

a. 情動焦点型コーピング

不快な情動のコントロールを目的とする

問題を回避したり、否認したり、感情を発散させるなど

問題の本質的解決にはならない

b. 問題焦点型コーピング

問題自体の解決を目的とする

ストレス状況の中で問題となっていることは何か、どう解決すべきかなどを考え実行する

　ストレス・コーピングを考えるときは、ストレッサーの認知的評価[*2]を行い、コーピングを実行して、ストレス反応を表出するまでの一連の過程を、ストレスととらえます。

　自分ではストレス状況をコントロールすることが不可能であると判断された場合に、情動焦点型コーピングがとられやすいといえます。

　問題焦点型コーピングには、問題解決を行える能力、また、自分にはできるという自信（**自己効力感**）、適切な**ソーシャル・サポート**などが必要となります。

まずは、情動焦点型コーピングで不満や不快な感情を発散して、気分をリフレッシュして落ち着かせ、その後に、問題焦点型コーピングで根本的解決を図るといった方法がとられることもあります。

　子どもや比較的若い人の場合は、問題焦点型コーピングよりも、情動焦点型コーピングがとられやすいといえます。

　ストレッサーの種類によって、情動焦点型コーピングをとりやすいストレスと、問題焦点型コーピングをとりやすいストレスがあるでしょう。情動焦点型コーピングで不快な感情を発散させるだけで、元の状態に戻せるようなストレスもあるでしょう。ただし、その場しのぎを繰り返し、現実から逃避して、気がついたときは病気の一歩手前だった、というようなことにならないよう、問題焦点型コーピングで、**問題の本質を解決するスキル**も身につける必要があります。

　ストレス・マネジメントには、2つのストレス・コーピングを併用したり、上手に使い分けることが重要です。

2. 具体的なストレス・コーピングの方法

　普段、無意識に行っていることもあるかもしれませんが、客観的に整理してみましょう。自分のストレス・コーピングのくせを知り、新たなストレス・コーピングにチャレンジしてみる機会ともなります。

a. 我慢する

　できる限り我慢するのもひとつの対処法です。

　我慢しているうちに、慣れたり、気にならなくなったりすることもあります。

b. 回避する

　ストレッサーから逃げたり、ストレッサーを避けたり、距離をおいたりします。

　意識的、積極的に回避するのもひとつの対処法です。

c. 忘れる

いやなことは忘れてしまうというのもひとつの対処法です。

忘れることができるから、人間は生きていけるのだ、と言われることもあるように、人間に備わった能力です。

d. 相談する

だれかに話を聞いてもらうだけで、気持ちが落ち着いたり軽くなったりすることがあります。

アドバイスをもらったり、励ましを受けたり、自分では気づかなかったことに気づいたりすることもできます。

e. 主張する

ストレス状況を改善するために自己主張します。

この場合、自分だけでなく相手のことも尊重した自己主張である**アサーション**を心がけます。

3. リラクゼーション

リラクゼーションによって、ストレスを解消すること、軽減することができます。また、疲労を回復したり、安眠をもたらす効果もあります。自然治癒力や免疫力も高まるといわれ、心身の健康維持・増進に効果があります。

ストレスを感じたとき、イライラとした気分になったとき、腹が立つことがあったとき、緊張したときなど、簡単にリラックス状態をつくる方法を身につけておくと、気分を静め、落ち着きを取り戻すことができ、冷静に判断・行動することができます。

簡単にできるリラクゼーション

・からだをほぐす

からだを伸ばす／ストレッチ体操を行う／マッサージをする／ぬる

めのお風呂に入る　など
・呼吸を整える
深呼吸する／腹式呼吸を行う／呼吸を数える　など
・感情を解放する
思いきり笑う／思いきり泣く／言葉に表す　など
・感覚に働きかける
好きな音楽を聴く／好きな香りを嗅ぐ／好きなものと触れ合う　など

> Point!
>
> ・ストレス・コーピングには情動焦点型コーピングと問題焦点型コーピングがある。
> ・2つのストレス・コーピングを併用、使い分けることで、ストレス・マネジメントを行う。

用語解説

★1　ストレス・コーピング：ラザルスが提唱した理論。ストレッサーを経験した場合に、それをどのようにとらえ、どのように対処するかによって、個人のストレスレベルが決定される

★2　認知的評価：あるできごとや状況が、自分にとって脅威的なものであるか、重要なものであるか、といったストレッサー自体に対する認知的評価を、一次的評価といい、ストレッサーに対して、どのような対処が可能であるかというコーピングに関する評価を、二次的評価という

Step 2-3
ストレスへの気づき

こころもからだも健康な状態とは、生活のリズムとバランスが整っている状態です。ストレスがあると、生活のリズムとバランスがどこかから徐々に崩れてきます。

 ## 1．ストレス・チェック

　ストレスや疲れが溜まっていると自覚できている場合もあれば、気づかないうちにストレス反応がこころやからだに現れている場合もあるでしょう。セルフチェックでストレスの有無や程度、ストレスの要因となっているものは何か、などを調べてみましょう。

　セルフチェックのツールは、さまざまなものが開発されています。厚生労働省「職業性ストレス簡易調査票フィードバックプログラム」や厚生労働省「労働者の疲労蓄積度自己診断チェックリスト」などがあり、インターネット上でも簡単にセルフチェックできます（「働く人のメンタルヘルス・ポータルサイト『こころの耳』」https://kokoro.mhlw.go.jp）。

 ## 2．ライフスタイルを見直す

　ライフスタイルを見直すために、**1週間の行動記録**をつけてみましょう。

　起床時間、朝食・昼食・夕食の時間と内容、午前・午後の行動・活動、就寝時間、睡眠時間、体調、その他の特記事項、1日を終えての感想、などを簡単なメモ程度でもよいので1週間続けて記録してみましょ

う。

　規則正しく生活していたつもりでも、睡眠時間にばらつきがあったり、食事の内容に偏りがあったり、一覧にすることでみえてくることがあるでしょう。

　行動記録表を分析し、ライフスタイルの問題点・課題を明らかにしていきます。そして、**長期的な目標**（理想とするライフスタイル）を設定します。

　しかし、仕事をしていると、昼食や夕食を毎日、同じ時間に摂ることが困難であったり、ある程度のばらつきはしょうがない、というものもあるでしょう。

　今の生活状況を把握し、例えば、「毎朝、10分早く起床して、朝食は必ず食べるようにしよう」など、当面の**行動目標（短期目標）**とすることができればよいでしょう。

　1～2週間実践して、達成できたかどうか評価しましょう。

 ## 3．ライフカルテ

　こころとからだの健康管理と、ストレス・マネジメントの視点から生活を見直すツールとして、**ライフカルテ**を作成します。

　現在の状況、生活環境、生活背景、ストレス状況、ストレス・マネジメント能力などを整理して記入します。

 ## 4．休養する

　生活のリズムとバランスを整えるには、区切りできちんと「**休む**」ことが大切です。

　1994（平成6）年に当時の厚生省（現厚生労働省）により「健康づくりのための休養指針」が策定されています。

1．生活にリズムを

　早めに気づこう、自分のストレスに／睡眠は気持ちよい目覚めがバロメーター／入浴で、からだもこころもリフレッシュ／旅に出掛けて、こころの切り換えを／休養と仕事のバランスで能率アップと過労防止

2．ゆとりの時間でみのりある休養を

　1日30分、自分の時間をみつけよう／活かそう休暇を、真の休養に／ゆとりの中に、楽しみや生きがいを

3．生活の中にオアシスを

　身近な中にもいこいの大切さ／食事空間にもバラエティを／自然とのふれあいで感じよう、健康の息吹を

4．出会いときずなで豊かな人生を

　見出そう、楽しく無理のない社会参加／きずなの中ではぐくむ、クリエイティブ・ライフ

5．「良い睡眠」をとる

　こころとからだの健康のためには、意識して**良い睡眠**をとることが大切です。

　不眠がうつ病のようなこころの病につながることや、睡眠不足や睡眠障害による日中の眠気がヒューマンエラーに基づく事故につながることが明らかになっています。そこで、新たな科学的知見に基づき、2014（平成26）年に厚生労働省により、これまでの指針を改定して「健康づくりのための睡眠指針2014～睡眠12箇条～」が示されました。

健康づくりのための睡眠指針2014 〜睡眠12箇条〜

1. 良い睡眠で、からだもこころも健康に。
2. 適度な運動、しっかり朝食、ねむりとめざめのメリハリを。
3. 良い睡眠は、生活習慣病予防につながります。
4. 睡眠による休養感は、こころの健康に重要です。
5. 年齢や季節に応じて、ひるまの眠気で困らない程度の睡眠を。
6. 良い睡眠のためには、環境づくりも重要です。
7. 若年世代は夜更かし避けて、体内時計のリズムを保つ。
8. 勤労世代の疲労回復・能率アップに、毎日十分な睡眠を。
9. 熟年世代は朝晩メリハリ、ひるまに適度な運動で良い睡眠。
10. 眠くなってから寝床に入り、起きる時刻は遅らせない。
11. いつもと違う睡眠には、要注意。
12. 眠れない、その苦しみをかかえずに、専門家に相談を。

- 生活のリズムとバランスが整っている状態が、こころもからだも健康な状態。
- ライフスタイルを見直すために、行動記録表をつけ、ライフカルテを作成する。

Step 2-4

セルフケアの大切さ

本人がストレスをコントロールできるようになることはもちろん、ストレスや悩みを抱えている人には、身近な周囲の人が早く気づいてあげることが大切です。ちょっとした変化に気づき、声をかけ、話をじっくり聞いて寄り添い見守ります。

1．ゲートキーパー★1になる

ストレスを溜めすぎたり、こころの不調が長く続くと、日常生活にも支障をきたしてしまいます。こころの病気にかかってしまうこともあります。こころの病気が自殺という最悪の結果を招いてしまうこともあります。

ストレスや悩みを抱え込んでしまっている人や、こころの病気にかかっていることに気づいていない人、こころの不調に気づいていても病気だと自覚していない人に対しては、身近な周囲の人がちょっとした変化にも気づき、早期に手を差し伸べることが重要です。

ゲートキーパーとは、いつもと違うサインに気づき、適切な対応を図ることができる人のことです。いわば「**命の門番**」とも位置付けられる役割を果たします。

・気づき：家族や友だち、仲間の変化に気づいて声をかける
・傾聴：本人の気持ちを尊重して、話にじっくりと耳を傾ける
・つなぎ：早めに専門の機関に相談するよう促す
・見守り：寄り添いながら、温かくじっくりと見守る

ゲートキーパーは、医療や福祉の専門家だけでなく、身近な大切な人のために、だれでも、その役割を果たすことができます。

2．こころの支援「りはあさる」

　メンタルヘルス・ファーストエイド★2による支援では、悩みを抱えている人など、こころの健康に問題を抱えている人への初期支援として、「りはあさる」を挙げています。

り：リスク評価
　自殺のリスクについて評価します。
「死にたいと思っていますか」とはっきりと尋ねてみることが大切です。
は：判断・批評せずに聴く
　責めたり、弱い人だと決めつけたりしないで、どんな気持ちなのか耳を傾けて聴きます。
あ：安心・情報を与える
　弱さや性格の問題でなく、支援が必要な状態であること、適切な支援で状況がよくなる可能性があることを伝えます。
さ：サポートを得るように勧める
　専門機関に相談することを勧めます。
　その際、説得することは適切ではありません。
る：セルフケア
　リラクゼーション法を実施したり、身近な人に相談したり、自分なりの対処法を試してみることなどを勧めます。

3．周囲が気づきやすい変化

　以前と異なる行動がみられたり、状態が続くのは、こころの不調やこ

ころの病気のサインかもしれません。早めに気づき、声をかけ、体調面なども含めて状況を聞いたり、専門機関への相談・受診を勧めます。

a. 気になる行動面の変化

服装が乱れてきた／急にやせた、太った／感情の変化が激しくなった／表情が暗くなった／一人になりたがる／不満、トラブルが増えた／独り言が増えた／他人の視線を気にするようになった／遅刻や休みが増えた／ぼんやりしていることが多い／ミスや物忘れが多い／体に不自然な傷がある　など

b. 気になる自覚症状の訴え

朝、気持ちよく起きられない／肩こり、背中・腰が痛い／便秘と下痢を交互に繰り返す／前日の疲れがとれない／仕事に集中できない／人に会うのが億劫で面倒くさい／食欲がなく、体重が減ってきた／寝つきが悪く、夢を見る／疲れやすい　など

4．燃え尽き症候群

熱心に取り組んでいたものごとに対して、ある日突然、まるで燃え尽きてしまったかのように、意欲を失い、無気力、抑うつ、イライラなどを示す状態に陥ってしまうことがあります。**燃え尽き症候群**または**バーンアウト症候群**[★3]と呼ばれています。看護師、教員、ヘルパーなど、ヒューマンサービスに従事する人に多くみられるといいます。また、エネルギッシュで、高い理想をもってものごとに取り組んでいる人にも多くみられるといいます。

例えば、認知症の家族を介護しているケースで、一生懸命介護をしても、感謝の言葉がなかったり、認知症の行動・心理症状（BPSD）による暴言・暴力を受けたり、介護を拒否されたり、物盗られ妄想で犯人にされたり、ただでさえ出口のみえない介護の毎日に、こうしたことが重なって、ある日突然、燃え尽きてしまう、ということも起こり得ます。

周囲の気づきと、早めのストレス・コントロールが重要です。

5．悩みや不安を抱えている人に寄り添うために

悩みや不安を抱えている人に手を差し伸べ、適切なケアをするためには、ケアする側にも精神的なゆとりが必要です。特に、災害や事故が生じた現場では、ケアする側も、ストレスを抱え込みがちです。自分自身のストレス症状を知り、心理的負担を抱え込まないことが大切です。

自分自身のこころの準備をしっかりとして、相手と向き合いましょう。

周りの人が不安を感じているときには

- 側に寄り添うなど、安心感を与えましょう
- 目を見て、普段よりもゆっくりと話しましょう
- 短い言葉で、はっきり伝えましょう
- つらい体験を無理に聞き出さないようにしましょう
- 「こころ」にこだわらず、困っていることの相談に乗りましょう

（厚生労働省「こころの健康を守るために」より）

- 身近な人のゲートキーパーになり、寄り添う。
- 燃え尽き症候群に陥らないよう、ケアする側のストレス・コントロールも大切。
- 自分自身のこころの準備をしっかりとして、相手と向き合う。

用語解説

★1　ゲートキーパー：「自殺総合対策大綱（平成19年6月8日閣議決定）」においては、9つの当面の重点施策の一つとしてゲートキーパーの養成を掲げている

★2　メンタルヘルス・ファーストエイド：メンタルヘルスの問題を有する人に対して、適切な初期支援を行うための5つのステップからなる行動計画で、オーストラリアの Betty A Kitchener と Anthony F Jorm により開発された

★3　燃え尽き症候群・バーンアウト症候群：1970年代に、アメリカのフロイデンバーガーが最初に提唱したといわれる

Step 2
理解度チェック

問1 次の文章で正しいものには○、間違っているものには×を解答欄に記入してください。

[　]（1）ストレス・マネジメントはストレスをどうとらえるかという「認知の修正」と大きく関係する。

[　]（2）人間関係は、ストレスに対して常にプラスに働く。

[　]（3）ストレス反応は、こころの反応が主で、からだに反応は出ない。

[　]（4）ストレスへの対処法が適切でなければ、心身に影響が出てしまう。

[　]（5）ストレス対処法は、その人のパーソナリティや人生経験とは関係がない。

問2 ストレス・コーピングについての次の文章で、間違っていると思われるものを1つ選び、解答欄に記号を記入してください。

A．ストレス・コーピングはパーソナリティや経験によっても違ってくる。

B．上手にストレスに対処するためには対人関係をスムーズに保つことも大切である。

C．ストレス状況をコントロールできないと判断された場合に、情動焦点型コーピングがとられる。

D．情報収集し、問題解決に当たる方法は問題焦点型コーピングと呼ばれる。

E．ストレス・コーピングでは、ストレスの心身への影響をコント

ロールすることはできない。

[　　　]

問3 次の文章の［　］にあてはまる語句として、下の語群から、最も適切なものを選び解答欄に記入してください。

　私たちの生活は、心身の健康管理という視点から［ ① ］によって見直すことが出来る。また生活の［ ② ］とバランスがとれているかを知るために［ ③ ］を活用すると良い。［ ④ ］、家事、休息などのバランスも大切であり、睡眠や［ ⑤ ］にも気を付ける。

① [　　　　　]　② [　　　　　]　③ [　　　　　]
④ [　　　　　]　⑤ [　　　　　]

【語群】

行動記録表　ライフマネジメント　食生活　バランスシート
ライフカルテ　リズム　遊び　感情表現　仕事

Step 2
理解度チェック 解答と解説

問1

（1）解答：○
（2）解答：×
　　解説：ストレスに対してマイナスに働く人間関係もあり得ます。
（3）解答：×
　　解説：ストレス反応は、こころにもからだにも現れます。どのような反応が出やすいのか、知っておくことが大切です。
（4）解答：○
（5）解答：×
　　解説：ストレスへの対処法は、その人のパーソナリティや人生経験が大きく関係します。

問2

解答：E
解答：ストレス・コーピングは、ストレス状況に適応し、ストレスの心身への影響をコントロールするための対処法です。

問3

解答：①ライフカルテ　②リズム　③行動記録表　④仕事　⑤食生活

memo

Part 5 ストレスって、何だろう？ ―ストレス対処法の基本を知ろう―

巻末

「ケアストレスカウンセラー認定試験」受験ガイド

（1）ケアストレスカウンセラー認定試験の概要

　現代社会はストレス社会ともいわれ、精神的な悩みや病気を他の人に話すこともできずに、自身で抱え込んでしまっている人は、数多くいます。一方、そのような「こころの不調・こころの病」に対して、正しい知識をもった人が、身近に存在している環境は少ないのです。

　そこで、「身近な存在として、正しく『こころの不調・こころの病』について理解ができる人材の育成」をめざして、2006年より、厚生労働省認可法人財団法人職業技能振興会（当時）が「ケアストレスカウンセラー認定試験」を開始しました。2016年12月現在、入門編としての「ケアストレスカウンセラー認定試験」のほか、上位資格として「企業中間管理職ケアストレスカウンセラー認定試験」「青少年ケアストレスカウンセラー認定試験」「高齢者ケアストレスカウンセラー認定試験」の3つの認定試験が行われています。それらすべてを取得した人の「マスターケアストレスカウンセラー」認定制度もあります。

　2017年8月からは、WEB試験（CBT形式）で実施されています。「改訂版ケアストレスカウンセラー公式テキスト」は、本試験の対策講座として、本試験と同様に、「メンタルヘルスの正しい知識をもち、そのうえで人とかかわれる人材育成」をめざすものです。

　本書では、認定試験の対策として、「心理学・精神医学・対人コミュニケーション・ストレスとセルフケア」を学びます。それらの知識は、「企業中間管理職」「青少年」「高齢者」の3分野の実践課程に対する基礎課程の学習も兼ねています。

（２）ケアストレスカウンセラーの必要性と社会背景

　近年、うつ病、統合失調症、認知症、PTSDといったメンタル疾患名や、それ以外にも心身症や自律神経失調症などさまざまな言葉を耳にするようになりました。

　また、家族間や友人間などで起こるトラブル、未成年者を巻き込んだトラブル、高齢者人口の増加に伴うトラブルなど、さまざまな社会の問題も見られるようになりました。これは、少子化、高齢化、核家族化、都市化、情報化、国際化、そして、長引く不況などの社会の変化による問題と受け取れる面もあります。

　メンタルヘルス対策の重要性については、もはや疑う余地はないでしょう。特に、自分のことは自分で守る、周囲の大切な人たちは自分が守る、といったセルフケアが求められます。メンタル疾患に対してどのように対応していくか、あらゆる場面において避けては通れない問題となっています。そのような時代に、メンタルヘルスについて正しい知識を学び、資格を取得することには、大きな意義があるといえます。

（３）ケアストレスカウンセラーになるための学習方法

●本書の「理解度チェック」を活用しよう！

　本書は、「心理学の基礎知識」「精神医学の基礎知識」「対人コミュニケーションに関する基礎知識」「ストレス対処法の基礎知識」の順番で構成されています。各単元（Step）の最後に理解度チェックの問題がありますので、学習した内容の確認テストとして解いてみましょう。

●辞典や辞書を積極的に活用しよう！

　本書には、病名や症状など、普段あまり見ることのない言葉や漢字なども出てきます。辞典や辞書、インターネットなどを活用して調べてみると学習が深まります。また、自身がさらに詳しく知ってみたい事柄な

どに対しては、積極的に本などで知識を深めていくことをお勧めします。

● 日々、継続して学習しよう！

　今までの生活リズムを変えずに、1日のなかで学習できる時間がどのくらいあるのかを考えて進めていきましょう。また、机に向かうだけが学習ではなく、学んだことを実感することで、より理解は進みます。本書で学んだことをはじめ、家族や友人、ニュースや他の書籍など、さまざまなものに興味をもち考えてみることで、さらに学ぶことへの意欲が上がるはずです。

(4) ケアストレスカウンセラー認定試験の出題傾向

　認定試験は、一問一答または五肢択一の出題形式です。

　設問の例を、以下に4種類あげます。

---

① 次の文章で正しいものを1つ選びなさい。
  A. 「電話帳を見て電話をしたが、その後掛けた電話番号を忘れた」…これは短期記憶である。
  B. 「町中で、待ち合わせの相手をぱっと見つけ出すことができた」…これは短期記憶である。
  C. 「自分の家の電話番号を忘れずに覚えている」…これは短期記憶である。
  D. 短期記憶とは、半永久的に保持される記憶のことである。

　　　　　　　　　　　　　　　　　　　　　　　　答え：A

② 次の文章で間違っているものを1つ選びなさい。
  A. メンタル疾患は、内因性、心因性、外因性の大きく3つに分けることができる。

B. 真の健康とは、心理面、社会面、身体面のすべてにより支えられている。

C. 考える速度が速すぎて、本来の目的からすぐにずれてしまうことを観念奔逸という。

D. 薬物療法は、精神的な交流により心理的影響を与えメンタル疾患を治療することである。

答え：D

③ 次の文章で正しいものには○、間違っているものには×を付けなさい。

A. 認知療法とは、絵画、陶芸、音楽など芸術活動を利用する治療法である。

B. 精神分析療法とはロジャーズの「来談者中心療法」のことである。

C. 森田療法とは森田正馬が考案した日本独自の心理療法である。

D. その人を含め家族全体をクライエントとして治療を進めていくのが家族療法である。

答え：(A) ×　(B) ×　(C) ○　(D) ○

④ 次の文章で関連性の高いものを下の語群からそれぞれ選びなさい。

A. 認知症の判定に用いるテスト

B. 投影法で最も代表的なテスト

C. 作業能力を測定するテスト

D. 120問からなる簡易な性格テスト

【語群】

> ①改訂長谷川式簡易知能評価スケール　②ロールシャッハテスト
> ③MMPI　④内田クレペリン精神作業検査　⑤Y-Gテスト
>
> 　　　　　　　　答え：(A) ①　(B) ②　(C) ④　(D) ⑤

●問題形式に慣れよう！

　本書の「理解度チェック」の問題を解き、問題形式に慣れることが大切です。

「理解度チェック」にはない問題でも、なかなか覚えられない項目や、混同してしまう薬の名称、心理療法、心理テスト、人物名、専門用語などに関して、自分で問題をつくってみるなどすると、本試験に向けてさらに理解が深まっていきます。

　なお、問題文はさまざまな形で解答を求めます。「正しいものを選びなさい」「関連のないものを選びなさい」「間違っているものを選びなさい」などがあります。問題文に書かれている設問をよく読み、正しい答えを見つけることが大切です。初歩的なミスをしないように心がけ受験に臨みましょう。

●ノートにまとめて整理しよう！

　各症例の特徴とその一般的な治療法、各心理療法の特徴、各心理テストの長所や短所を、ノートにまとめるなどして整理しましょう。たとえば、次のような方法です。

○○療法（公式テキスト○ページ参照）
①基本理論は？……
②代表的な人は？……

③治療法の特徴は？……
④治療例は？……
⑤国内の取り入れ状況は？……
⑥関連する言葉、キーワードは？……

　上記のようにまとめることで、それぞれの違いを混同せずに整理することができます。また、まとめたノートに、「詳しく調べたこと」などをあわせて付け足していくことで、試験が終わった後にも使える内容となります。興味をもったものを調べることで、さらに理解が深まっていきますので、積極的にそして楽しく学習を進めていきましょう。

memo

memo

【監修者】
内閣府認可 一般財団法人 職業技能振興会
1948年6月、個人の自立・自活による国内経済の回復を図るため、当時の労働省（現厚生労働省）の認可団体として設立。現在は多様化する社会・経済・労働環境と、我が国が抱える課題に機敏に対応し、少子高齢化・食育・住環境・健康・介護問題などの広域にわたる分野で、時代に即応した技能習得者の養成に事業を展開している。

【著者】
一般社団法人 クオリティ・オブ・ライフ支援振興会
一般財団法人職業技能振興会が認定する「ケアストレスカウンセラー」の公式テキストの制作に携わる他、医療・福祉系の資格取得を目指す人をサポートし、著作多数。
理事長の渡辺照子は、心理カウンセラーとして厚生労働省社会保障審議会推薦の「絆〜ママへのラブソング」を作詞。「絆〜ママへのラブソング」のストーリーブックとして「絆」をアスペクト社より出版。学校、地方自治体などで講演多数。

【編集協力】
久保 敦司（くぼ あつし）
「マスターケアストレスカウンセラー」として、一般財団法人職業技能振興会の認定試験の制作協力や講師の育成に携わる。厚生労働省緊急人材育成事業「ハローワーク職業訓練校」講師、ヒューマンアカデミー添削指導、専門学校・各種学校にてゲスト講師など。

改訂2版 ケアストレスカウンセラー公式テキスト

2025年6月10日　初版第1刷発行

著　者	一般社団法人 クオリティ・オブ・ライフ支援振興会
	©2025 Quality of Life Institute of Japan
発行者	張 士洺
発行所	日本能率協会マネジメントセンター

〒103-6009　東京都中央区日本橋2-7-1東京日本橋タワー
TEL　03（6362）4339（編集）／03（6362）4558（販売）
FAX　03（3272）8127（編集・販売）
https://www.jmam.co.jp/

装丁	冨澤崇（EBranch）
本文DTP	TYPEFACE
印刷所	シナノ書籍印刷株式会社
製本所	株式会社新寿堂

本書の内容の一部または全部を無断で複写複製（コピー）することは、法律で認められた場合を除き、著作者および出版者の権利の侵害となりますので、あらかじめ小社あて許諾を求めてください。

ISBN 978-4-8005-9338-2 C3034
落丁・乱丁はおとりかえいたします。
PRINTED IN JAPAN

JMAMの本

メンタルヘルス・マネジメント®検定試験 II種（ラインケアコース）重要ポイント&問題集

見波 利幸 著／大濱 弥太郎 著

A5判224頁

II種（ラインケア）試験は、管理監督者を対象に、自分と部下のメンタルヘルス・マネジメントのため知識習得と対策推進をサポートするものです。本書は、試験の出題傾向を分析し、重要事項を項目ごとに整理・解説し、過去問題による演習問題・本試験を想定した精度の高い模擬問題を収録した、受験者必携の教材です。

メンタルヘルス・マネジメント®検定試験 III種（セルフケアコース）重要ポイント&問題集

見波 利幸 著／佐藤 一幸 著

A5判160頁

自らのストレスの状況・状態を把握し、自らメンタルヘルスのケアを行う力を養う試験「メンタルヘルス・マネジメント®検定試験III種」の出題傾向を分析し、重要事項を項目ごとに整理したテキストです。章末には過去問題による演習問題、巻末には模擬問題を掲載しています。

マンガでやさしくわかるNLP

山崎 啓支 著／サノマリナ 作画

四六判240頁

能力開発の実践手法NLP（神経言語プログラミング）の基本を、マンガを交えてわかりやすく紹介します。ストーリー部分でざっくり理解でき、解説部分でプログラムの仕組みや修正方法など、基本知識と実践手法の基礎がしっかり学べます。

マンガでやさしくわかる認知行動療法

玉井 仁 著／星井 博文 シナリオ／深森 あき 作画

四六判240頁

うつ病などの治療法としてだけでなく、日常の心の問題に対処する精神療法として注目されている「認知行動療法」をマンガと詳しい解説で気軽に学べる1冊です。物語の主人公は、突然の子会社への異動で軽度のうつ病の症状が出た主人公の夏野梨香。彼女が飼い猫のサポートを借りながら不安やうつを乗り越える姿を描きます。「状況整理シート」などのツールも掲載します。